UNIVERS DE

Sous la direc
André Lagarde, Laurent Mi

MONTESQUIEU

LETTRES PERSANES

Extraits

avec une biographie de Montesquieu, une étude
générale de son œuvre, une **analyse méthodique**
des Lettres choisies, des notes, des questions

par

Jeanne CHARPENTIER   Michel CHARPENTIER

Directrice du Collège
Boulevard du Général Giraud
Saint-Maur-des-Fossés

Agrégé des lettres
Proviseur du Lycée
Marcelin Berthelot
Saint-Maur-des-Fosssés

Bordas

© Bordas 1966 - 1re édition

© Bordas 1979.

I.S.B.N. 2-04-010771-1

(I.S.B.N. 2-04-003791-8; 2-04-006493-1 1res publications)

VIE DE MONTESQUIEU *(1689-1755)*

Le 18 janvier 1689 naît au château de La Brède, près de Bordeaux, CHARLES-LOUIS DE SECONDAT. A partir de ce château aux murs épais, aux ouvertures étroites, couronné de tourelles et cerné de douves, Montesquieu s'est construit une sorte de roman historique rehaussant sa naissance, qu'il fait remonter aux Francs. Très attaché à ses terres, indépendant vis-à-vis du pouvoir souverain, bien différent des courtisans qui mendient les faveurs royales, il est l'un des derniers représentants de cette noblesse indépendante que la politique de Richelieu avait voulu faire disparaître. Sa carrière dans la magistrature paraît toute tracée d'avance, car il est l'aîné d'une famille où règne une forte discipline, et son oncle, président à mortier au Parlement de Bordeaux, lui destine sa charge.

Élevé d'abord au **château de la Brède** parmi les paysans, Montesquieu apprend et parle le gascon. Il y contracte un épouvantable accent méridional dont on se moquera plus tard. A onze ans, on l'envoie au collège des **Oratoriens de Juilly**, près de Paris, alors qu'existait à Bordeaux un collège de Jésuites. Sans doute son père préférait-il un enseignement plus moderne, dispensé en français, comportant l'étude de langues vivantes, beaucoup d'histoire, et qui donnait aux élèves un goût très vif pour les idées.

En 1708, le jeune homme revient à Bordeaux pour y effectuer de solides études de droit. Reçu **avocat** au Parlement de Guyenne, il hérite alors la terre de son oncle, MONTESQUIEU, dont il prend le nom.

Charles-Louis de Secondat de Montesquieu, baron de La Brède, part pour Paris en 1709 afin d'y perfectionner sa pratique du droit. Ce Gascon arrive presque du bout du monde : on le regarde, on se moque de ses manières, de son accent. Son dépaysement favorise une observation qui devient vite sociale.

La mort de son père (1713) le rappelle à Bordeaux. Il y devient **conseiller au Parlement,** mais sous la tutelle de son oncle le président à mortier. On le marie avec JEANNE DE LARTIGUE, calviniste rigoureuse et peu jolie, mais spirituelle et dotée de 100 000 livres. Les deux époux ont souvent vécu séparés, mais paraissent s'être estimés.

Devenu **président à mortier** en 1716, quand son oncle meurt, Montesquieu fréquente les salons, est nommé membre de l'Académie des sciences de sa ville, formée d'honnêtes gens plus que de savants, pour laquelle il compose des mémoires scientifiques et annonce même son projet d'*Histoire physique de la terre ancienne et moderne*. On l'admire, mais on s'inquiète un peu de sa *Dissertation sur la politique des Romains dans la religion*, où il soutient que la religion n'est pas naturelle et que les croyances sont des produits artificiels créés par les chefs politiques pour maintenir le peuple soumis.

Montesquieu exerce sans vocation ses fonctions au Parlement. Méprisant la chicane et les gens de loi, il considère les deux audiences quotidiennes comme des corvées, mais y apporte beaucoup d'application. Son *Discours de rentrée au Parlement de Bordeaux* révélera, en 1725, son éloquence, son talent et son courage. Il n'hésite pas à critiquer les vices de la procédure et à soutenir que la justice doit être éclairée, prompte, universelle et humaine.

Le plus agréable des dérivatifs à sa profession, c'est, pour Montesquieu, la vie parisienne. Malgré la longueur, les fatigues et le coût du voyage, il se rend dans la capitale tous les ans, voire plusieurs fois par an. Introduit dans le **cercle de Chantilly**, il se plaît dans ce milieu libertin qui entoure le Régent, et se lie avec la sœur de ce dernier, Mademoiselle de Chaumont, pour qui il écrira, en 1725, *le Temple de Gnide*, nouvelle frivole et maniérée. Il fréquente aussi la société choisie qui se réunit dans le salon de Madame de Lambert et y rencontre Fontenelle, La Motte, Marivaux, d'Argenson, le président Hénault et Adrienne Lecouvreur. Madame de Lambert a décidé de faire de Montesquieu un Académicien.

La difficulté vient de ce que Montesquieu est l'auteur d'un écrit anonyme, publié en 1721 à Amsterdam, dont le succès a entraîné de nombreuses rééditions, mais dont l'impertinence a choqué les convenances et le Cardinal de Fleury : les **« Lettres persanes »**. On a vite pensé que Montesquieu était le seul auteur capable d'allier avec autant d'aisance la légèreté et la profondeur; il a dû avouer son œuvre, et accepter la réputation d'être le plus mordant et le plus facétieux des beaux esprits.

De plus en plus las de ses fonctions, par ailleurs peu rémunératrices à son gré, endetté de 40 000 livres, ambitieux de briguer un poste diplomatique, désireux enfin de rompre sa liaison avec Madame de Grave, Montesquieu **décide de vendre sa charge** de président à mortier. C'est un scandale énorme à Bordeaux, mais le châtelain tient bon et tire de sa charge 130 000 livres. Cette fortune, grossie par ses revenus de propriétaire terrien, lui vaut une complète indépendance; il régit avec soin ses vignes de la Brède et vend son vin jusqu'en Angleterre. Cette activité lui attire, en 1725, des ennuis avec le « colbertisme » gouvernemental : un arrêt interdit les nouvelles plantations; il plante quand même et adresse ensuite un long Mémoire justificatif au pouvoir central : à sa formation juridique, l'ancien magistrat ajoute une connaissance précise des réalités économiques.

Introduit en 1727 au **Club de l'Entresol,** où l'on discute de législation et d'économie politique, Montesquieu y lit, sans grand succès, le *Dialogue de Sylla et d'Eucrate,* où il analyse les raisons de l'abdication de Sylla. L'année suivante il est élu à l'**Académie Française.**

Ce succès ne le fixe pas à Paris. Désireux, comme son illustre compatriote Montaigne, de faire l'essai de ses forces, il entreprend un très long **voyage à travers l'Europe.** Ce n'est pas un circuit touristique, car ce légiste n'a pas le sentiment de la nature. Il mène une enquête critique dont le plan se trouvait déjà tracé dans la Lettre persane 31 : « Je m'instruis des secrets du commerce, des intérêts des princes, de la forme de leur gouvernement ; je ne néglige pas même les superstitions européennes [...]. Enfin je sors des nuages qui couvraient mes yeux dans le pays de ma naissance. »

A Vienne, il compare la décentralisation autrichienne à la centralisation de Louvois. En Hongrie, il observe les survivances du régime féodal. A Venise, où il rencontre Law, il s'inquiète du marasme économique et se montre déçu du régime républicain. Il constate l'effet néfaste du régime ecclésiastique sur les mœurs romaines, qui n'ont guère changé depuis les *Regrets* de du Bellay. Après s'être enquis du despotisme prussien, il est frappé par l'activité de la Hollande, qu'il compare à la Salente du *Télémaque.* En Angleterre, où il fréquente de plain-pied la haute société aristocratique, et où il est reçu **franc-maçon (1730)** — il sera l'un des fondateurs en France de la Franc-Maçonnerie —, il s'émerveille de l'extrême liberté laissée aux citoyens et l'attribue à la séparation des pouvoirs entre le Roi et le Parlement.

Quand il revient à La Brède (1731), ses idées se sont précisées et étendues. Il compte maintenant, dans tous les pays où il est passé, des correspondants qui le tiennent au courant des discussions philosophiques et politiques susceptibles de l'intéresser : « C'est un esprit européen qui travaille pour le genre humain » (Dedieu, *Montesquieu,* p. 79).

Pendant deux années, sans rompre ses liaisons avec la société parisienne, Montesquieu vit retiré dans ses terres. Il entoure son château de jardins à l'anglaise et défend, contre l'intendant de la généralité, les intérêts de son vignoble. Il multiplie ses lectures historiques et philosophiques, rédige ses notes de voyage, songe à un essai sur le gouvernement de l'Angleterre, à une histoire de Louis XIV. Ce projet l'amène à de longs entretiens avec Saint-Simon, mais il ne le réalisera jamais. Dans un opuscule *Sur la monarchie universelle en Europe,* il constate que la diversité des législations interdit d'établir la monarchie dans tous les pays.

Mais il consacre l'essentiel de son activité laborieuse aux *Considérations sur les causes de la grandeur et de la décadence des Romains* (éditées à Amsterdam en 1734), où il montre que les institutions romaines, excellentes pour la conquête, se sont révélées insuffisantes pour l'administration de l'Empire, et que la disparition de la liberté et des vertus républicaines a entraîné la chute de cet Empire. L'œuvre obtient, semble-t-il, plus de succès à l'étranger qu'en France même, où cependant elle accroît une renommée solidement établie.

A partir de 1734, Montesquieu ne pense plus qu'à *l'Esprit des lois*. Bien sûr, il passe tous les ans l'hiver à Paris, fréquente les salons de Madame de Tencin, de Madame du Deffand, de Madame Geoffrin ou de Madame d'Aiguillon et assiste régulièrement aux séances de l'Académie. Mais il travaille constamment au grand ouvrage, dont il a conçu l'idée vers 1729, sur la nature des lois et leurs rapports entre elles. Dès 1736, l'œuvre est assez avancée pour qu'il en communique une partie au marquis d'Argenson, un de ses anciens amis du Club de l'Entresol. L'*Histoire de Louis XI*, écrite entre 1735 et 1740 (et perdue par la distraction d'un secrétaire), ne l'écarte pas de sa voie, car il y recherche comment ce règne a déterminé l'unité française. En 1742, à la demande de Mademoiselle de Charolais, Montesquieu raconte, dans le ton des *Lettres persanes*, les mésaventures de deux jeunes Orientaux : c'est *Arsace et Isménie*, œuvre baroque où le romanesque enrobe la philosophie politique et où l'auteur montre en action le gouvernement despotique.

Tout le ramène donc à la rédaction d'un ouvrage monumental où il use sa santé : atteint de la **cataracte**, il devient presque aveugle, travaille néanmoins huit heures par jour, modifie son plan, multiplie les additions, et dicte ce qu'il ne peut plus rédiger. « Ma vie avance et l'ouvrage recule », écrit-il en 1746. Deux ans plus tard, il envoie son manuscrit à Genève pour l'impression, avec le sentiment d'abandonner une œuvre qu'il ne pourra jamais achever.

Le retentissement de *l'Esprit des lois* est considérable. Aux attaques des Jansénistes et des Jésuites, Montesquieu répond en 1750 par une *Défense de « l'Esprit des lois »*. Ainsi le succès est immense, attesté par vingt-deux éditions consécutives en quelques années. Montesquieu a écrit une des œuvres qu'attendait le XVIIIe siècle, siècle des sommes critiques. Qu'importe dès lors que l'Église mette *l'Esprit des lois* à l'index! L'écrivain accueille les critiques avec sérénité, compose son *Lysimaque* pour l'Académie de Nancy et rédige, pour l'*Encyclopédie*, l'article sur le « Goût ».

En février 1755, au cours d'un séjour à Paris, il meurt d'une **fluxion de poitrine**, sans céder aux exigences d'un confesseur jésuite qui lui réclame les manuscrits de *Lettres persanes* inédites.

MONTESQUIEU : L'HOMME

Les documents ne manquent pas pour dessiner le portrait de Montesquieu, depuis la diffusion en 1941, par l'éditeur Bernard Grasset, des *Cahiers*, larges fragments de manuscrits intitulés *Mes Pensées* : l'auteur y apparaît dans toute sa spontanéité.

La méfiance envers les passions La raison aide Montesquieu à ne pas demeurer sous la dépendance des passions. Il lui est agréable d'aimer, mais non pas d'être enchaîné par l'amour :

J'ai été, dans ma jeunesse, assez heureux pour m'attacher à des femmes que j'ai cru qui m'aimaient. Dès que j'ai cessé de le croire, je m'en suis détaché soudain (I, 220).

Rêvant de grands desseins, il ne s'abandonne ni aux tourments de l'ambition, ni à la rancune :

Lorsque quelqu'un a voulu se réconcilier avec moi, j'ai senti ma vanité flattée, et j'ai cessé de regarder comme ennemi un homme qui me rendait le service de me donner bonne opinion de moi (I, 227).

Après avoir vendu sa charge et affermé avec soin ses terres, Montesquieu se trouve à la tête d'une fortune qui lui assure avant tout l'indépendance. Mais il refuse la tyrannie de l'argent :

Je n'ai pas laissé d'augmenter mon bien : j'ai fait de grandes améliorations à mes terres. Mais je sentais que c'était plutôt pour une certaine idée d'habileté que cela me donnait, que pour l'idée de devenir plus riche (I, 229).

L'acceptation du destin La raison dispose Montesquieu à tirer le meilleur parti possible de la situation qui lui est faite :

Cherchons à nous accommoder à cette vie ; ce n'est point à cette vie à s'accommoder à nous (III, 19).

Que survienne une infirmité, il est capable d'y adapter sa vie :

Quand je devins aveugle, je compris d'abord que je saurais être aveugle (III, 20).

Pour peu que l'on sache « se retourner », les malheurs contribuent au bonheur :

Dans ce cas la plupart des malheurs entreront dans le plan d'une vie heureuse. Il est très aisé avec un peu de réflexion de se défaire des passions tristes (III, 20).

Montesquieu entend donc se préparer sereinement à subir le sort commun des mortels :

Je n'ai plus que deux affaires : l'une de savoir être malade, l'autre de savoir mourir (III, 466).

La recherche des plaisirs   Mais, avant de mourir, il faut savoir profiter de la vie. Montesquieu éprouve un vif plaisir dans le seul sentiment d'exister :

Je m'éveille le matin avec une joie secrète ; je vois la lumière avec une espèce de ravissement. Tout le reste du jour je suis content (I, 221).

Également heureux à la campagne et à la ville, il est sensible aux satisfactions sociales :

On est heureux dans le cercle des sociétés où l'on vit : témoin les galériens. Or chacun se fait son cercle dans lequel il se met pour être heureux (III, 21).

Le gentilhomme a beau parler de sa noblesse avec désinvolture, il y tient :

Quand il s'agit d'obtenir les honneurs, on rame avec le mérite personnel, et on vogue à pleines voiles avec la naissance (II, 454).

Mais l'agrément des conversations mondaines l'attire davantage : il recherche les gens d'esprit car, devant des causeurs intelligents, il se dit moins accessible à la timidité ; cependant, quand il rencontre des sots, il se résigne de bon cœur :

Rien ne m'amuse davantage que de voir un conteur ennuyeux faire une histoire circonstanciée, sans quartier : je ne suis pas attentif à l'histoire, mais à la manière de la faire (I, 123).

Amoureux des plaisirs moins frivoles de l'amitié, il n'entend pas en être dupe :

Quand je me fie à quelqu'un, je le fais sans réserve ; mais je me fie à peu de personnes (I, 24).

Et il constate avec satisfaction qu'il a conservé tous ses amis, à l'exception d'un seul.

En définitive, pour Montesquieu, les joies les plus hautes sont celles que se donne l'esprit dans la solitude et le recueillement :

L'étude a été pour moi le souverain remède contre les dégoûts de la vie, n'ayant jamais eu de chagrin qu'une heure de lecture ne m'ait ôté (I, 20).

Toute sa vie fut concentrée dans sa bibliothèque de La Brède qu'il enrichit sans cesse et dont le catalogue témoigne des multiples curiosités de l'écrivain.

L'intelligence et la justice   C'est surtout par l'intelligence que Montesquieu a vécu. Esprit très peu religieux, il ne veut voir, dans la religion, qu'une institution politique et sociale :

Je ne puis pas plus aimer un être spirituel que je puis aimer cette proposition : deux et trois fois font cinq (I, 329).

Et il critique certains effets de la dévotion :

La dévotion trouve pour faire une mauvaise action des raisons qu'un simple honnête homme ne saurait trouver (II, 78).

Très soucieux de l'intérêt public, Montesquieu manifeste un désir ardent que l'État soit bien gouverné :

Je suis un bon citoyen parce que j'aime le gouvernement où je suis né, sans le craindre (II, 207).

Mais il se désole de voir le désordre, l'anarchie et l'injustice troubler l'équilibre auquel aspire sa raison. Et, s'il condamne tout rêve chimérique de révolution, il accueille volontiers toute idée de réforme équitable :

Une chose n'est pas juste parce qu'elle est loi ; mais elle doit être loi parce qu'elle est juste (I, 393).

Fondé sur la raison, la lucidité, l'optimisme et la justice, tel nous apparaît « le mécanisme intérieur d'un homme qui sut vivre sans laisser rien perdre de ses dons, tout en se refusant à leur rien sacrifier de son bonheur » (B. Grasset, *Cahiers* de Montesquieu, p. XXVIII).

MONTESQUIEU : L'ŒUVRE

Il paraît difficile de classer par genres les œuvres de Montesquieu, qui, malgré de sensibles différences dans le ton et le sujet, aboutissent presque toutes à des réflexions historiques, philosophiques, politiques et sociologiques qui seront regroupées et classées dans *l'Esprit des lois*.

1. Premières œuvres :

Mémoire sur les dettes de l'État, 1716.

Dissertation sur la politique des Romains dans la religion, 1716 (1799) [1].

Éloge de la sincérité, 1717.

Mémoires et Discours à l'Académie des sciences de Bordeaux : *Sur la cause de l'écho*, 1718; *Sur l'usage des glandes rénales*, 1718; *Sur la cause de la pesanteur des corps*, 1720 ; *Sur la cause de la transparence des corps*, 1720.

Observations sur l'histoire naturelle, 1719-1721.

2. « Lettres persanes », 1721

3. Vers l'Académie :

Dialogue de Xantippe et de Xénocrate, 1723 (1745).

Lettres de Xénocrate à Phérès, 1723 (1792).

Dialogue de Sylla et d'Eucrate, 1724.

Le Temple de Gnide, 1725.

Essai touchant les lois naturelles et la distinction du juste et de l'injuste, 1725 (1944).

Discours sur l'équité qui doit régler les jugements et l'exécution des lois, 1725.

Discours sur les motifs qui doivent nous encourager aux sciences, 1725.

---

1. La date entre parenthèses indique la publication, quand elle est très postérieure à la rédaction.

Éloge du duc de la Force, 1726.

Mémoire contre l'Arrêt portant défense de faire des plantations nouvelles en vignes dans la Généralité de Guyenne, 1727.

Réflexions sur la monarchie universelle en Europe, 1727 (1891).

Voyage à Paphos, 1727.

Considérations sur les richesses de l'Espagne, 1728 (1910).

Discours de réception à l'Académie française, 1728.

4. Voyages :

Voyage en Autriche, 1728 (1894).

Voyage de Gratz à La Haye (Italie, Allemagne, Hollande), 1728-1729 (1894).

Notes sur l'Angleterre, 1729-1730 (1818).

Mémoires sur les mines, 1731 (1896).

Lettre sur Gênes, 1731 (1896).

Florence, 1731 (1896).

De la manière gothique, 1731 (1896).

5. Vers « l'Esprit des lois » :

Geographica, 1734-1738 et 1742-1743 (1950).

Spicilège, 1715-1738 (1944).

Considérations sur les causes de la grandeur des Romains et de leur décadence, 1734.

Essai sur les causes qui peuvent affecter les esprits et les caractères (1892).

Histoire véritable, 1738 (1892).

Arsace et Isménie, 1742 (1783).

6. « L'Esprit des lois », 1748.

7. Dernières œuvres :

Défense de « l'Esprit des lois », 1750.

Lysimaque, 1751.

Ébauche de l'Éloge historique du maréchal de Berwick (1778).

Mémoire sur la constitution, 1753.

Essai sur le goût (article « Goût » de l'*Encyclopédie*, 1757).

Mes Pensées, 1720-1754 (1899-1901).

Portrait de Montesquieu

LES « LETTRES PERSANES »

Genèse de l'ouvrage   Aucune indication ne permet de déceler l'événement qui décida Montesquieu à écrire les *Lettres persanes :* l'auteur n'a laissé aucune confidence. Les seuls renseignements sûrs sont ceux qu'apporte le catalogue de la bibliothèque de La Brède. Montesquieu s'est visiblement inspiré de *l'Espion turc* de Marana : or, il possédait ce livre dans une édition de 1717. Les *Voyages* de Tavernier sont présents dans sa bibliothèque avec une édition de 1713, mais les *Voyages en Perse* de Chardin, où il a puisé le plus clair de son information, ne furent pas achetés avant mai 1720. Il est probable que Montesquieu a lu les œuvres de Marana et Chardin à Paris avant de les acquérir.

A. Masson a signalé, dans un article sur « Un Chinois inspirateur des *Lettres persanes* » (*Revue des Deux-Mondes*, 15 mars 1951), que, dès 1713, Montesquieu avait longuement interrogé Wang, un Chinois, sur son pays natal. Mais cette curiosité de sociologue ne prouve nullement qu'il ait alors décidé d'écrire son œuvre. Selon P. Vernière, éditeur des *Lettres persanes* (Garnier, p. IV), l'idée de l'ouvrage serait née « à Paris au cours des longues vacances que s'octroya le Président de décembre 1716 à avril 1717 ; arrivée du tsar Pierre le Grand, réveil janséniste et appel au Concile général, chambre de justice, montée de Dubois, signature de la Triple-Alliance » : le flux de ces événements a laissé « sa trace boueuse dans les *Lettres persanes* ».

Les *Lettres* ont été ensuite écrites dans un ordre que l'on ignore ; l'achat tardif du livre de Chardin en 1720 traduit sans doute un besoin de vérification et de classement selon la chronologie. Enfin le recueil a dû être achevé peu après les derniers événements historiques auxquels Montesquieu fait allusion : débâcle de Law de mars à juin 1720 (Lettre **142**), exil du Parlement à Pontoise le 21 juillet (Lettre **140**), démoralisation consécutive à la banqueroute (Lettre **146** du 11 novembre 1720). Selon toute vraisemblance, les *Lettres persanes* ont été rédigées de 1717 à la fin de 1720.

Les récits de voyages   La curiosité pour l'Orient se déve-
en Orient   loppe en France au cours du
                  XVIIe siècle ; elle se traduit par de
nombreux récits de voyages et un effort de recherche qui modifie
les jugements portés sur l'Islam. De 1610 à 1670, on relève

31 relations de voyage en Orient; de 1670 à 1715 on en compte 169. Si certains voyageurs rapportent des détails curieux et bien observés, d'autres prennent des libertés avec la réalité. C'est pourquoi, dans l'*Essai sur les mœurs* (chapitre XIII), Voltaire constatera (1756) la nécessité de « lire avec un esprit de doute presque toutes les relations qui nous viennent de ces pays éloignés ».

BERNIER, né en 1625, a séjourné douze ans aux Indes. Lié à son retour avec La Fontaine et Saint-Evremond, il fait connaître dans ses *Mémoires* (1670) cette contrée jusque-là inconnue de l'Europe. Il s'intéresse aux « causes principales de la décadence des États de l'Asie », à « l'administration, aux mœurs, à la religion ».

TAVERNIER a parcouru pendant quarante ans la Turquie, la Perse, les Indes, le Siam, et est mort à Moscou en 1689. Ses ouvrages connaissent un immense succès : *Nouvelle Relation de l'intérieur du Sérail du Grand Seigneur* (1675); *Six Voyages de J.-B. Tavernier en Turquie, en Perse et aux Indes* (1676).

CHARDIN voyage de 1665 à 1671 à travers la Perse, apprend la langue du pays, se passionne pour les mœurs et les antiquités persanes. Il publie en 1686 son *Voyage en Perse*, qu'il complètera progressivement (10 volumes dans l'édition d'Amsterdam).

THÉVENOT, qui aurait introduit en France l'usage du café, est mort en Perse. Ses relations sont réunies sous ce titre : *Voyages de M. Thévenot tant en Europe qu'en Asie et en Afrique* (1684). D'ARVIEUX laisse un *Traité des mœurs et coutumes des Arabes* (1717). LUCAS, antiquaire de Louis XIV, raconte (1719) ses voyages faits par ordre du roi en Turquie, en Asie, en Syrie et en Palestine.

Enfin le témoignage de TOURNEFORT, savant naturaliste, trouvera grand crédit auprès des philosophes du XVIIIe siècle. Il a écrit une *Relation d'un voyage fait par ordre du roi, contenant l'histoire de plusieurs îles de l'Archipel, de Constantinople, des côtes de la Mer Noire, de l'Arménie, des frontières de la Perse* (1717).

Influence de ces récits   Ces récits présentent un certain nombre de caractères communs auxquels Montesquieu a été sensible. N'accordant aucune place au pittoresque des paysages, leurs auteurs s'intéressent aux institutions sociales et aux mœurs. Ils insistent sur la polygamie et les harems : à lire Chardin, on conclut que l'Orient est le pays de la volupté. Les voyageurs ont remarqué l'hospitalité, la tolérance, la sobriété, la simplicité des musulmans et la rapidité de leur justice. L'Oriental apparaît donc comme un civilisé, ce qui entraîne une comparaison constante avec les habitudes occidentales. En matière de religion, la confrontation aboutit souvent au scepticisme. « Quelques-uns achèvent de se corrompre par de longs voyages, et perdent le peu de religion qui leur restait », constate La Bruyère (*Caractères*, XVI, 4). En même temps se répand l'idée, déjà énoncée par Montaigne, que la pureté de la morale n'est pas liée à la religion. Enfin, Chardin insiste (VI, p. 219) sur la relativité des lieux et des mœurs, ce qui le conduit à imaginer, avant Montesquieu, une théorie des climats : « Je trouve toujours la cause de l'origine des mœurs des Orientaux dans les qualités de leurs climats [...]. Les coutumes des peuples ne sont point l'effet de leurs caprices, mais de nécessités naturelles qu'on ne découvre qu'après une exacte recherche. »

La connaissance scientifique du monde musulman   Au XVIIᵉ siècle et au début du XVIIIᵉ, un effort d'érudition très réel modifie l'éclairage sous lequel apparaît le monde musulman. En 1647, DU RYER avait traduit *l'Alcoran de Mahomet* avec un immense succès. De 1704 à 1712 se succèdent les douze tomes des *Mille et une Nuits*, traduits par GALLAND, un érudit curieux et laborieux, nostalgique d'un Orient qu'il retrouve dans une poésie de contes de fées.

L'histoire n'est pas négligée et l'Anglais RICAUT publie en 1670 une *Histoire de l'état présent de l'Empire Ottoman*. La *Bibliothèque Orientale* de BARTHÉLÉMY D'HERBELOT, achevée en 1697 par Galland, constitue une véritable encyclopédie de l'Islam, que citera souvent Voltaire.

Au même titre que les récits de voyages, ces ouvrages scientifiques ont servi à l'information de Montesquieu pour les *Lettres persanes*. Le répertoire des sources sûres dressé par P. VERNIÈRE (*op. cit.*, p. XIX et suiv.) souligne l'importance exceptionnelle de Chardin (38 sources), suivi d'assez loin par Tavernier, Ricaut et Du Ryer, — et signale l'existence de 18 autres informateurs sur l'Orient ou accessoirement sur d'autres parties du monde.

Les modèles de Montesquieu   Jamais le genre épistolaire n'a été plus en honneur qu'au XVIIᵉ siècle. Les écrivains exploitent ce goût du public et adoptent cette forme qui leur permet d'aborder toutes sortes de sujets avec beaucoup de liberté : bien avant les *Lettres persanes* ont paru de nombreux livres rédigés de cette manière. En 1686 l'Italien MARANA avait publié *l'Espion du Grand Seigneur*, recueil de lettres où un Turc découvre avec surprise les mœurs et les croyances des Français. De COTOLENDI on a une *Lettre écrite par un Sicilien*, à laquelle Montesquieu a fait quelques emprunts. Peut-être l'idée première des *Lettres persanes* se trouve-t-elle dans *les Amusements sérieux et comiques* (1699), où l'acteur DUFRESNY imaginait la venue d'un Siamois à Paris. Enfin Montesquieu n'ignorait ni les deux *Lettres écrites à Musala, homme de lettres à Hispahan*, sur la religion des Français, qui valurent à leur auteur, J. BONNET, un séjour à la Bastille, ni les *Réflexions morales, satiriques et comiques sur les mœurs de notre siècle* de J.-F. BERNARD, rééditées en 1716 avec une lettre sur les Jésuites et la Bulle *Unigenitus*.

Le principal modèle des *Lettres persanes*, comme l'a démontré R. Shackleton (*French Studies*, octobre 1949), c'est Marana. Ce dernier se présente comme un historien, mais il mêle les observations morales, les discussions religieuses et les méditations philosophiques à l'actualité politique. Se sentant isolé au milieu des chrétiens, son espion turc éprouve, comme Usbek, le besoin de consulter des théologiens musulmans pour consolider sa foi. Pourtant, il est plus attentif à la morale qu'au dogme, et ses réflexions critiques l'amènent progressivement à des conceptions déistes.

Le climat politique et social sous Louis XIV

Avec les guerres d'Italie a pris fin la féodalité. Poursuivant l'œuvre de Henri IV et de Richelieu, Louis XIV affaiblit systématiquement la noblesse et réduit à l'impuissance toute opposition par la mise au pas des Parlements et l'attribution de pouvoirs très étendus aux Intendants.

La politique religieuse du Roi-Soleil part aussi du désir d'imposer son autorité absolue. Mais elle suscite des réactions extrêmement vives : outre les protestations des Réformés exilés, chansons et pamphlets se multiplient.

Des esprits lucides manifestent leur désaccord. Certains chrétiens, comme Fénelon dans sa *Lettre au Roi* (1694) et comme La Bruyère dans les *Caractères* (1688-1696), souhaitent réformer le cœur du Roi. Saint-Simon mène le parti des ducs et pairs, hostile au gouvernement des bourgeois et au despotisme, qui souhaite que l'on rende à la noblesse sa place intermédiaire. Les Protestants soutiennent même la légitimité de résister au souverain dans certains cas : dans ses *Lettres pastorales* (1700), Jurieu parle d'un « pacte mutuel nécessaire entre le Prince et le Peuple ».

La mort de Louis XIV est saluée par un soupir de soulagement général. Des épitaphes blasphématoires circulent même (« Ne priez point Dieu pour son âme »). Et, dans l'oraison funèbre de Louis XIV, Massillon critique l'orgueil du Roi-Soleil et ses vaines conquêtes.

Sous la Régence Après la mort de Louis XIV, une coalition de ducs et de parlementaires obtient du Régent la création de sept conseils composés de nobles du plus haut rang, tandis que la complaisance du Parlement est payée par le rétablissement du droit de remontrances, conforme à la théorie selon laquelle les lois fondamentales du royaume supposent un corps intermédiaire, chargé d'en faire respecter l'application.

Devant l'incapacité des Conseils, le Régent doit rétablir en 1718 les secrétaires d'État, puis il restreint les droits du Parlement et enfin exile ce dernier à Pontoise. On en revient donc à l'absolutisme, et avec la majorité du roi (1723) s'achèvera une période qui, selon Montesquieu, ne fut qu'une « suite de projets manqués ».

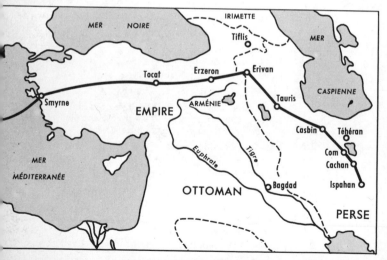

L'itinéraire d'Usbek et de Rica en Asie

QUELQUES ÉVÉNEMENTS HISTORIQUES AUXQUELS IL EST FAIT ALLUSION DANS LES « LETTRES PERSANES »

1661   Début du règne personnel de Louis XIV.

1665   Colbert contrôleur général des Finances.
Fondation de la Compagnie des Indes occidentales.

1666   Louis XIV interdit les remontrances au Parlement de Paris.

1668   Louvois secrétaire d'État à la Guerre.
Guerre de Dévolution. Traité d'Aix-la-Chapelle.

1672   Louis XIV s'installe à Versailles.
Début de la guerre de Hollande.

1675   Création du tableau d'avancement pour les officiers.

1678   Traité de Nimègue. Fin de la guerre de Hollande.

1679   Le Parlement anglais impose au Roi le *Bill* d'*Habeas corpus*.

1680   Début des dragonnades.

1682   Déclaration gallicane des Quatre-Articles.

1683   Les Turcs aux portes de Vienne.

1684   Mariage secret de Louis XIV avec Madame de Maintenon; sous l'influence de son épouse, le Roi revient à une pratique religieuse plus stricte.

1685   Édit de Fontainebleau : révocation de l'Édit de Nantes; beaucoup de Protestants s'exilent.

1687   Déportation de Protestants.

1689   Début de la guerre de la Ligue d'Augsbourg.
Pierre le Grand s'empare du pouvoir en Russie.

1691   Le Grand-Vizir turc Mustapha Koeprili est battu et tué par les Hongrois.

1693   Louis XIV renonce au gallicanisme et désavoue les Quatre-Articles.

1697   Traité de Ryswick. Fin de la guerre de la Ligue d'Augsbourg.

1699   Pierre le Grand prescrit en Russie le port du costume européen.

1702   Condamnation du quiétisme.
Début de la guerre de Succession d'Espagne.

1708   Condamnation par le pape du Père Quesnel, auteur de *Réflexions morales sur le Nouveau Testament*, d'inspiration janséniste.

1709   Charles XII de Suède vaincu à Poltava par Pierre le Grand.

1710   Destruction de Port-Royal-des-Champs.

1711   Mort du Grand Dauphin.

1712   Mort du duc de Bourgogne.
Bataille de Denain.

1713   Bulle *Unigenitus* condamnant 101 propositions du Père Quesnel.
Traité d'Utrecht. Fin de la guerre de Succession d'Espagne.

1714   L'archevêque de Paris, qui refuse de recevoir la Bulle *Unigenitus*, est condamné.

1715   Mort de Louis XIV. Louis XV (âgé de cinq ans) roi de France. Le Parlement annule le testament de Louis XIV. Organisation de la Polysynodie.

1716   Chambre de justice contre les financiers.
Law fonde la Banque générale.

1717   Law fonde la Compagnie du Mississipi.

1718   Fin de la Polysynodie.

1719   Law obtient la fabrication des monnaies et le bail des fermes générales.

1720   Law fait rétablir en sa faveur (5 janvier) la charge de Contrôleur général des Finances. Panique chez les spéculateurs. La Banque royale suspend ses paiements. (juillet). Banqueroute et fuite de Law.

SCHÉMA DE L'ŒUVRE

L'armature chronologique donne un cadre à cette « *œuvre étrange qui participe du roman épistolaire, de la chronique politique, du journal de voyage, de l'essai moral, accueille le monologue tragique ou le dialogue de comédie, sans dédaigner la dissertation, l'apologue ou le conte; œuvre déconcertante où l'intérêt risque de se disperser dangereusement dans la succession des lieux, la variété des décors et le mélange des thèmes* ». (P. Vernière, *op. cit.*, p. XI).

I.   Voyage d'ispahan a paris :

  Lettres **1** à **23**
  du 19 mars 1711 au 4 mai 1712.

II. paris sous le règne de louis xiv :

  Lettres **24** à **91**
  du 4 juin 1712 au 31 août 1715.
  1 Premières impressions : **24** à **46**.
  2 Effort vers une connaissance plus concrète et plus précise de la France : **47** à **68**.
  3 Usbek à la recherche de la loi naturelle : **69** à **91**.

III. la régence :

  Lettres **92** à **146**
  du 4 septembre 1715 au 11 novembre 1720.
  1 Considérations générales sur la politique : **92** à **111**.
  2 La dépopulation du globe : **112** à **123**.
  3 Commentaires sur l'actualité et la littérature : **124** à **146**.

IV. le bouleversement du sérail :

  Lettres **147** à **161**
  du 1er septembre 1717 à la fin de novembre 1720.

LETTRES PERSANES

PRÉFACE

Je ne fais point ici d'Épître dédicatoire, et je ne demande point de protection [1] pour ce livre : on le lira, s'il est bon; et, s'il est mauvais, je ne me soucie pas qu'on le lise.

J'ai détaché ces premières lettres pour essayer [2] le goût du public; j'en ai un grand nombre d'autres dans mon porte- [5] feuille, que je pourrai lui donner dans la suite [3].

Mais c'est à condition que je ne serai pas connu : car si l'on vient à savoir mon nom, dès ce moment je me tais. Je connais une femme qui marche assez bien, mais qui boite dès qu'on la regarde [4]. C'est assez des défauts de [10] l'ouvrage, sans que je présente encore à la critique ceux de ma personne. Si l'on savait qui je suis, on dirait : « Son livre jure [5] avec son caractère [6]; il devrait employer son temps à quelque chose de mieux : cela n'est pas digne d'un homme grave. » Les critiques ne manquent jamais [15] ces sortes de réflexions, parce qu'on les peut faire sans essayer beaucoup son esprit [7].

Les Persans qui écrivent ici étaient logés avec moi; nous passions notre vie ensemble. Comme ils me regardaient comme un homme d'un autre monde, ils ne me cachaient [20] rien. En effet, des gens transplantés de si loin ne pouvaient plus avoir de secrets. Ils me communiquaient la plupart de leurs lettres; je les copiai. J'en surpris [8] même quelques-unes dont ils se seraient bien gardés de me faire confidence, tant elles étaient mortifiantes pour la vanité et la jalousie per- [25] sanes.

---

1. Ce refus d'un usage courant montre le non-conformisme de l'auteur. — 2. Faire l'épreuve. — 3. En 1754, Montesquieu ajoutera onze lettres au recueil. — 4. On a souvent soutenu qu'il s'agissait de Jeanne de Lartigue, la femme de Montesquieu. — 5. Est en discordance. — 6. Ou avec le caractère de la charge alors assumée par Montesquieu. — 7. Sur le dédain de l'auteur pour les faiseurs d'épigrammes, voir la *Lettre* 137. — 8. J'en interceptai.

Je ne fais donc que l'office de traducteur : toute ma peine a été de mettre [1] l'ouvrage à nos mœurs. J'ai soulagé le lecteur du langage asiatique autant que je l'ai pu, et l'ai sauvé d'une infinité d'expressions sublimes, qui l'auraient ennuyé jusque dans les nues.

Mais ce n'est pas tout ce que j'ai fait pour lui. J'ai retranché les longs compliments, dont les Orientaux ne sont pas moins prodigues que nous, et j'ai passé un nombre infini de ces minuties qui ont tant de peine à soutenir le grand jour, et qui doivent toujours mourir entre deux amis [2].

Si la plupart de ceux qui nous ont donné des recueils de lettres avaient fait de même, ils auraient vu leurs ouvrages s'évanouir [3].

Il y a une chose qui m'a souvent étonné : c'est de voir ces Persans quelquefois aussi instruits que moi-même des mœurs et des manières de la Nation [4], jusqu'à en connaître les plus fines circonstances, et à remarquer des choses qui, je suis sûr, ont échappé à bien des Allemands qui ont voyagé en France [5]. J'attribue cela au long séjour qu'ils y ont fait; sans compter qu'il est plus facile à un Asiatique de s'instruire des mœurs des Français dans un an, qu'il ne l'est à un Français de s'instruire des mœurs des Asiatiques dans quatre, parce que les uns se livrent autant que les autres se communiquent [6] peu.

L'usage a permis à tout traducteur, et même au plus barbare commentateur, d'orner la tête de sa version [7], ou de sa glose [8], du panégyrique [9] de l'original, et d'en relever l'utilité, le mérite et l'excellence. Je ne l'ai point fait; on en devinera facilement les raisons. Une des meilleures est que ce serait une chose très ennuyeuse, placée dans un lieu déjà très ennuyeux de lui-même : je veux dire une Préface.

---

1. Adapter. — 2. Ne pas être publiées. — 3. Disparaître. — 4. La France. — 5. Montesquieu critique le manque de finesse dans les guides allemands à l'usage de voyageurs. — 6. Entrent en relations. — 7. Traduction. — 8. Commentaire explicatif — 9. Éloge outré.

LETTRE PREMIÈRE

USBEK¹ A SON AMI RUSTAN
A ISPAHAN

Nous n'avons séjourné qu'un jour à Com². Lorsque nous eûmes fait nos dévotions sur le tombeau³ de la Vierge qui a mis au monde douze prophètes, nous nous remîmes

---

- **L'action** est déjà engagée : Rica et Usbek ont quitté Ispahan depuis vingt-cinq jours (1, ligne 4).

  ① Montrer qu'Usbek apparaît large d'esprit et désireux d'acquérir la sagesse là où elle se trouve.

- **La connaissance du Proche-Orient**

  Montesquieu prend pour héros un grand aristocrate persan. Il l'apparente, du moins par le nom, à un prince Usbek, parent de Gengis-Khan et fondateur d'une dynastie, rivale jusqu'au xviiᵉ siècle, des souverains perses.
  Le voyage d'Usbek vers l'Occident suit les étapes de Tavernier : Koum, Tauris, Erzeroum, première ville de Turquie, puis Tokat et Smyrne. Ces précisions attestent le souci de vraisemblance avec lequel l'auteur a préparé son roman : on peut opposer ce réalisme à la fantaisie des voyages de Zadig. Voir la carte, p. 181.
  Montesquieu signale que la curiosité d'Usbek n'est nullement partagée par ses compatriotes (Cf. *Lettre* 5 de Rustan : *On ne peut comprendre que tu puisses quitter tes femmes, tes parents, tes amis, ta patrie pour aller dans des climats inconnus aux Persans*). Le souci de « couleur locale » conduit même à dater les lettres des Persans au moyen des mois lunaires de l'année musulmane, mais en y ajoutant les années chrétiennes.

  ② Comment expliquer cette contradiction ?

- **L'ironie** de Montesquieu s'exerce contre le dogme catholique de la maternité virginale de Marie quand il parle d'une *Vierge qui a mis au monde douze prophètes*. Fathmé n'est pas la fille de Mahomet, aïeule des douze califes successeurs de Mahomet, mais sa petite-fille, morte à Koum. L'erreur de Montesquieu s'explique par la fusion partielle des cultes rendus aux deux Fathmé.

---

1. Nom générique d'un peuple tartare qui résidait au nord-est de la Perse (*Usbekistan*). — 2. Ou Koum, ville de l'Irak-Adjemmi, à 200 kilomètres au nord d'Ispahan. Lieu de pèlerinage. — 3. Mausolée décrit par P. Loti (*Vers Ispahan*).

en chemin, et hier, vingt-cinquième jour de notre départ
d'Ispahan[1], nous arrivâmes à Tauris[2].

Rica et moi sommes peut-être les premiers[3] parmi les
Persans que l'envie de savoir ait fait sortir de leur pays,
et qui aient renoncé aux douceurs d'une vie tranquille pour
aller chercher laborieusement la sagesse.

Nous sommes nés dans un royaume florissant; mais
nous n'avons pas cru que ces bornes fussent celles de nos
connaissances, et que la lumière orientale dût seule nous
éclairer.

Mande-moi ce que l'on dit de notre voyage; ne me
flatte point : je ne compte pas sur un grand nombre
d'approbateurs. Adresse ta lettre à Erzeron[4], où je séjour-
nerai quelque temps.

Adieu, mon cher Rustan; sois assuré qu'en quelque lieu
du Monde où je sois tu as un ami fidèle

De Tauris, le 15 de la lune de Saphar[5], *1711.*

*Usbek envoie des instructions au gardien de son sérail,
et plusieurs de ses épouses, Zachi, Zéphis, Fatmé, lui écrivent
(3 à 7); c'est l'occasion pour Montesquieu d'aborder le
problème de la réclusion des femmes; tout comme dans la
Lettre 9 il se préoccupe de la condition des eunuques et
montre que leur mutilation est une violation de la loi naturelle.*

LETTRE 8

USBEK A SON AMI RUSTAN
A ISPAHAN

Ta lettre m'a été rendue à Erzeron, où je suis. Je m'étais
bien douté que mon départ ferait du bruit; je ne m'en suis
point mis en peine. Que veux-tu que je suive, la prudence
de mes ennemis, ou la mienne?

---

1. Alors capitale de la Perse. — 2. Ou Tabriz, ville de l'Azerbaïdjan. — 3. La première
ambassade officielle venue de Perse en France date de 1715. — 4. Ou Erzeroum, ville
de Turquie d'Asie, près des sources de l'Euphrate. — 5. Avril.

Je parus à la Cour dès ma plus tendre jeunesse. Je le
puis dire : mon cœur ne s'y corrompit point; je formai
même un grand dessein : j'osai y être vertueux. Dès que
je connus le vice, je m'en éloignai; mais je m'en approchai
ensuite pour le démasquer. Je portai la vérité jusques au
pied du trône : j'y parlai un langage jusqu'alors inconnu;
je déconcertai la flatterie[1], et j'étonnai en même temps les
adorateurs et l'idole.

Mais, quand je vis que ma sincérité m'avait fait des
ennemis; que je m'étais attiré la jalousie des ministres,
sans avoir la faveur du Prince; que, dans une cour corrom-
pue, je ne me soutenais[2] plus que par une faible vertu,
je résolus de la quitter. Je feignis un grand attachement
pour les sciences, et, à force de le feindre, il me vint réellement. Je ne me mêlai plus d'aucunes affaires, et je me retirai
dans une maison de campagne. Mais ce parti[3] même avait
ses inconvénients : je restais toujours exposé à la malice de
mes ennemis, et je m'étais presque ôté les moyens de
m'en garantir. Quelques avis secrets me firent penser
à moi sérieusement. Je résolus de m'exiler de ma patrie,
et ma retraite même de la Cour m'en fournit un prétexte
plausible. J'allai au Roi; je lui marquai[4] l'envie que j'avais
de m'instruire dans les sciences de l'Occident; je lui insi-
nuai qu'il pourrait tirer de l'utilité de mes voyages. Je trouvai grâce devant ses yeux; je partis, et je dérobai une vic-
time à mes ennemis.

Voilà, Rustan, le véritable motif de mon voyage. Laisse
parler Ispahan; ne me défends que devant ceux qui
m'aiment; laisse à mes ennemis leurs interprétations
malignes : je suis trop heureux que ce soit le seul mal qu'ils
me puissent faire.

On parle de moi à présent. Peut-être ne serai-je que trop
oublié, et que mes amis... Non, Rustan, je ne veux point
me livrer à cette triste pensée : je leur serai toujours cher;
je compte sur leur fidélité, comme sur la tienne.

D'Erzeron, le 20 de la lune de Gemmadi[5] 2, 1711.

---

1. Je fis taire les courtisans. — 2. Je ne maintenais mon crédit. — 3. Cet expédient. —
 Fis connaître. — 5. Août. Deux mois persans portant le même nom, on les
 stingue par un chiffre. Cette lettre amène à se demander si, à travers Usbek, ce n'est
 as Montesquieu qui parle de lui-même, de La Brède et de ses études scientifiques. S'il
 'a pas porté la vérité au pied du trône, il a adressé au Régent en mars 1716 un *Mémoire*
 ur les dettes de l'État.

LETTRE 10

*MIRZA A SON AMI USBEK
A ERZERON*

Tu étais le seul qui pût me dédommager de l'absence
de Rica, et il n'y avait que Rica qui pût me consoler
de la tienne. Tu nous manques, Usbek : tu étais l'âme de
notre société[1]. Qu'il faut de violence pour rompre les
5 engagements[2] que le cœur et l'esprit ont formés!
Nous disputons[3] ici beaucoup; nos disputes roulent
ordinairement sur la morale. Hier on mit en question si les
hommes étaient heureux par les plaisirs et les satisfactions
des sens, ou par la pratique de la vertu. Je t'ai souvent ouï
10 dire que les hommes étaient nés pour être vertueux, et que
la justice est une qualité qui leur est aussi propre que
l'existence[4]. Explique-moi, je te prie, ce que tu veux dire.
J'ai parlé à des mollaks[5], qui me désespèrent avec leurs
passages de l'Alcoran[6]; car je ne leur parle pas comme
15 vrai Croyant[7], mais comme homme, comme citoyen[8],
comme père de famille.

D'Ispahan, le dernier de la lune de Saphar[9], *1711.*

● **Un problème de morale** (*Lettre* **10**)

Dans son *Essai touchant les lois naturelles et la distinction du juste
et de l'injuste*, Montesquieu avait présenté le sens de la justice
comme une loi naturelle et fait de la pratique de la justice la
condition du bonheur.

① Montrer que le problème des rapports entre le bonheur et la
vertu a préoccupé tous les philosophes du XVIIIe siècle.

② D'après le dernier paragraphe, dans quel esprit Montesquieu
entend-il traiter cette question?

---

1. De notre groupe d'amis. — 2. Liaisons. — 3. Discutons courtoisement. — 4. Montesquieu songe sans doute aux disputes académiques à Bordeaux. — 5. Les *mollaks* ne sont pas des prêtres musulmans, puisqu'il n'existe pas de clergé en Islam, mais seulement des savants (*ulémas*) : théologiens, docteurs de la Loi. Ici, allusion aux directeurs de conscience catholiques. — 6. Le (*Al* en arabe) *Coran*, livre sacré des musulmans. — 7. Titre que se donnent les mahométans. — 8. Mirza est sujet du Sultan. Le mot *citoyen* est pris au sens latin : membre de l'État. — 9. Avril.

LETTRE 11

*USBEK A MIRZA
A ISPAHAN*

Tu renonces à ta raison pour essayer [1] la mienne; tu descends jusqu'à me consulter; tu me crois capable de t'instruire. Mon cher Mirza, il y a une chose qui me flatte encore plus que la bonne opinion que tu as conçue de moi : c'est ton amitié, qui me la procure.

Pour remplir [2] ce que tu me prescris, je n'ai pas cru devoir employer des raisonnements fort abstraits : il y a de certaines vérités qu'il ne suffit pas de persuader, mais qu'il faut encore faire sentir. Telles sont les vérités de morale. Peut-être que ce morceau d'histoire te touchera plus qu'une philosophie subtile.

Il y avait en Arabie un petit peuple appelé *Troglodyte* [3], qui descendait de ces anciens Troglodytes qui, si nous en croyons les historiens, ressemblaient plus à des bêtes qu'à des hommes. Ceux-ci n'étaient point si contrefaits : ils n'étaient point velus comme des ours; ils ne sifflaient point; ils avaient deux yeux; mais ils étaient si méchants et si féroces qu'il n'y avait parmi eux aucun principe d'équité ni de justice.

Ils avaient un roi d'une origine étrangère, qui, voulant corriger la méchanceté de leur naturel, les traitait sévèrement. Mais ils conjurèrent [4] contre lui, le tuèrent et exterminèrent [5] toute la famille royale.

Le coup étant fait, ils s'assemblèrent pour choisir un gouvernement, et, après bien des dissensions, ils créèrent [6] des magistrats. Mais, à peine les eurent-ils élus, qu'ils leur devinrent insupportables, et ils les massacrèrent encore.

Ce peuple, libre de ce nouveau joug, ne consulta plus que son naturel sauvage; tous les particuliers convinrent qu'ils n'obéiraient plus à personne; que chacun veillerait uniquement à ses intérêts, sans consulter ceux des autres.

---

1. Faire l'épreuve de. — 2. Exécuter. — 3. *Troglodyte* (= « Qui vit dans des trous »). Peuple légendaire habitant dans des cavernes et que les historiens anciens localisaient en Arabie ou au sud de la Libye. — 4. Complotèrent. — 5. Chassèrent hors des frontières. — 6. Élurent.

Cette résolution unanime flattait extrêmement tous les particuliers. Ils disaient : « Qu'ai-je affaire d'aller me tuer à travailler pour des gens dont je ne me soucie point?
35 Je penserai uniquement à moi; je vivrai heureux. Que m'importe que les autres le soient? Je me procurerai tous mes besoins [1], et, pourvu que je les aie, je ne me soucie point que tous les autres Troglodytes soient misérables. »

On était dans le mois où l'on ensemence les terres.
40 Chacun dit : « Je ne labourerai mon champ que pour qu'il me fournisse le blé qu'il me faut pour me nourrir : une plus grande quantité me serait inutile; je ne prendrai point de la peine pour rien. »

Les terres de ce petit royaume n'étaient pas de même
45 nature : il y en avait d'arides et de montagneuses, et d'autres qui, dans un terrain bas, étaient arrosées de plusieurs ruisseaux. Cette année, la sécheresse fut très grande, de manière que les terres qui étaient dans les lieux élevés manquèrent absolument [2], tandis que celles qui purent être
50 arrosées furent très fertiles. Ainsi les peuples des montagnes périrent presque tous de faim par la dureté des autres, qui leur refusèrent de partager la récolte.

L'année d'ensuite [3] fut très pluvieuse; les lieux élevés se trouvèrent d'une fertilité extraordinaire, et les terres
55 basses furent submergées. La moitié du peuple cria une seconde fois famine; mais ces misérables trouvèrent des gens aussi durs qu'ils l'avaient été eux-mêmes.

Un des principaux habitants avait une femme fort belle; son voisin en devint amoureux et l'enleva. Il s'émut [4]
60 une grande querelle, et, après bien des injures et des coups, ils convinrent de s'en remettre à la décision d'un Troglodyte qui, pendant que la République subsistait, avait eu quelque crédit. Ils allèrent à lui et voulurent lui dire leurs raisons. « Que m'importe, dit cet homme,
65 que cette femme soit à vous ou à vous? J'ai mon champ à labourer; je n'irai peut-être pas employer mon temps à terminer vos différends et travailler à vos affaires, tandis que je négligerai les miennes. Je vous prie de me laisser en repos et de ne m'importuner plus de vos querelles. »
70 Là-dessus il les quitta et s'en alla travailler sa terre. Le

---

1. Tout ce dont j'ai besoin (métonymie). — 2. Ne produisirent rien. — 3. Suivante — 4. Il s'éleva.

ravisseur, qui était le plus fort, jura qu'il mourrait plutôt
que de rendre cette femme, et l'autre, pénétré de l'injustice
de son voisin et de la dureté du juge, s'en retournait
désespéré, lorsqu'il trouva dans son chemin une femme
jeune et belle, qui revenait de la fontaine. Il n'avait plus
de femme; celle-là lui plut, et elle lui plut bien davantage
lorsqu'il apprit que c'était la femme de celui qu'il avait
voulu prendre pour juge, et qui avait été si peu sensible
à son malheur. Il l'enleva et l'emmena dans sa maison.

Il y avait un homme qui possédait un champ assez
fertile, qu'il cultivait avec grand soin. Deux de ses voisins
s'unirent ensemble, le chassèrent de sa maison, occupèrent
son champ; ils firent entre eux une union pour se défendre
contre tous ceux qui voudraient l'usurper [1], et effective-
ment ils se soutinrent par là pendant plusieurs mois.
Mais un des deux, ennuyé [2] de partager ce qu'il pouvait
avoir tout seul, tua l'autre et devint seul maître du champ.
Son empire [3] ne fut pas long : deux autres Troglodytes
vinrent l'attaquer; il se trouva trop faible pour se défendre,
et il fut massacré.

Un Troglodyte presque tout nu vit de la laine qui
était à vendre; il en demanda le prix. Le marchand dit
en lui-même : « Naturellement je ne devrais espérer de ma
laine qu'autant d'argent qu'il en faut pour acheter deux
mesures de blé; mais je la vais vendre quatre fois davantage, afin d'avoir huit mesures. » Il fallut en passer par là
et payer le prix demandé. « Je suis bien aise, dit le marchand; j'aurai du blé à présent. » — « Que dites-vous?
reprit l'acheteur. Vous avez besoin de blé? J'en ai à
vendre. Il n'y a que le prix qui vous étonnera peut-être :
car vous saurez que le blé est extrêmement cher, et que la
famine règne presque partout. Mais rendez-moi mon
argent, et je vous donnerai une mesure de blé : car je ne
veux pas m'en défaire autrement, dussiez-vous crever de
faim. »

Cependant une maladie cruelle ravageait la contrée.
Un médecin habile y arriva du pays voisin et donna ses
remèdes si à propos qu'il guérit tous ceux qui se mirent
dans ses mains. Quand la maladie eut cessé, il alla chez
tous ceux qu'il avait traités demander son salaire; mais il

---

1. Le prendre par la force. — 2. Excédé. — 3. Sa possession.

ne trouva que des refus. Il retourna dans son pays, et il y arriva accablé des fatigues d'un si long voyage. Mais bientôt après il apprit que la même maladie se faisait sentir de nouveau et affligeait [1] plus que jamais cette terre ingrate.

115 Ils allèrent à lui cette fois et n'attendirent pas qu'il vînt chez eux. « Allez, leur dit-il, hommes injustes! Vous avez dans l'âme un poison plus mortel que celui dont vous voulez guérir; vous ne méritez pas d'occuper une place sur la Terre, parce que vous n'avez point d'humanité, et

120 que les règles de l'équité vous sont inconnues. Je croirais offenser les Dieux, qui vous punissent, si je m'opposais à la justice de leur colère. »

D'Erzeron, le 3 de la lune de Gemmadi [2] 2, 1711.

⏤

● **Les Troglodytes** — Répondant à Mirza, Usbek trace, en quatre lettres consécutives, l'histoire d'un peuple fabuleux, les Troglodytes. C'est ici une de ces allégories politiques dont Fénelon avait donné un exemple avec son *Télémaque* (1699), et que le XVIIIᵉ siècle a tant appréciées.

Imagination et vérité — Le conte, visiblement imaginé, est destiné à mettre en lumière des vérités qui passeraient inaperçues : on étudiera le grossissement de cet exemple choisi à dessein.

① Ne peut-on reprocher à l'auteur de plier un peu trop facilement les faits à ses théories?

Les bases morales de toute société — Selon Montesquieu, pour un peuple « méchant » il n'y a pas de gouvernement qui vaille. Les Troglodytes n'avaient ni équité ni justice, et les conséquences se sont enchaînées naturellement : chute de la royauté, massacre d'un gouvernement consenti et régulier, retour à l'isolement primitif. Après l'effondrement des régimes monarchique, puis républicain, c'est l'anarchie qui exerce ses ravages.

② Étudier, dans chaque paragraphe, les malheurs entraînés par l'absence de solidarité et par l'anarchie.

③ Étudier en quoi cet apologue annonce l'analyse de la décadence d'un peuple, présentée dans *L'Esprit des lois* (III, 3) :

> *Lorsque [la] vertu cesse, l'ambition entre dans les cœurs qui peuvent la recevoir, et l'avarice entre dans tous. Les désirs changent d'objets : ce qu'on aimait, on ne l'aime plus ; on était libre avec les lois, on veut être libre contre elles ; chaque citoyen est comme un esclave échappé de la maison de son maître [...]. La république est une dépouille ; et sa force n'est plus que le pouvoir de quelques citoyens et la licence de tous.*

⏤

1. Ravageait. — 2. Août.

LETTRE 12

USBEK AU MÊME
A ISPAHAN

Tu as vu, mon cher Mirza, comment les Troglodytes périrent par leur méchanceté même et furent les victimes de leurs propres injustices. De tant de familles, il n'en resta que deux qui échappèrent aux malheurs de la Nation. Il y avait dans ce pays deux hommes bien sin- [5] guliers[1] : ils avaient de l'humanité; ils connaissaient la justice; ils aimaient la vertu. Autant liés par la droiture de leur cœur que par la corruption de celui des autres, ils voyaient la désolation[2] générale et ne la ressentaient que par la pitié; c'était le motif d'une union nouvelle. Ils tra- [10] vaillaient avec une sollicitude commune pour l'intérêt commun; ils n'avaient de différends que ceux qu'une douce et tendre amitié faisait naître; et, dans l'endroit du pays le plus écarté, séparés de leurs compatriotes indignes de leur présence, ils menaient une vie heureuse et tranquille. La [15] terre semblait produire d'elle-même, cultivée par ces ver- tueuses mains.

Ils aimaient leurs femmes, et ils en étaient tendrement chéris. Toute leur attention était d'élever leurs enfants à la vertu. Ils leur représentaient[3] sans cesse les malheurs [20] de leurs compatriotes et leur mettaient devant les yeux cet exemple si triste; ils leur faisaient surtout sentir que l'intérêt des particuliers se trouve toujours dans l'intérêt commun; que vouloir s'en séparer, c'est vouloir se perdre; que la vertu n'est point une chose qui doive nous coûter; [25] qu'il ne faut point la regarder comme un exercice pénible; et que la justice pour autrui est une charité pour nous[4].

Ils eurent bientôt la consolation des pères vertueux, qui est d'avoir des enfants qui leur ressemblent. Le jeune peuple qui s'éleva sous leurs yeux s'accrut par d'heureux [30] mariages : le nombre augmenta; l'union fut toujours la

---

1. Différents des autres. — 2. Destruction. — 3. Rappelaient. — 4. *Une charité* que ous nous faisons à nous-mêmes.

même, et la vertu, bien loin de s'affaiblir dans la multitude,
fut fortifiée, au contraire, par un plus grand nombre
d'exemples.

35   Qui pourrait représenter ici le bonheur de ces Troglodytes? Un peuple si juste devait être chéri des Dieux.
Dès qu'il ouvrit les yeux pour les connaître, il apprit à
les craindre, et la Religion vint adoucir dans les mœurs
ce que la Nature y avait laissé de trop rude.

40   Ils instituèrent des fêtes en l'honneur des Dieux : les
jeunes filles, ornées de fleurs, et les jeunes garçons, les
célébraient par leurs danses et par les accords d'une musique
champêtre. On faisait ensuite des festins où la joie ne
régnait pas moins que la frugalité. C'était dans ces assem-
45 blées que parlait la Nature naïve [1] : c'est là qu'on apprenait
à donner le cœur et à le recevoir; c'est là que la pudeur
virginale faisait en rougissant un aveu surpris [2], mais bientôt
confirmé par le consentement des pères; et c'est là que les
tendres mères se plaisaient à prévoir de loin une union
50 douce et fidèle.

      On allait au Temple pour demander les faveurs des
Dieux; ce n'était pas les richesses et une onéreuse [3] abondance : de pareils souhaits étaient indignes des heureux
Troglodytes; ils ne savaient les désirer que pour leurs
55 compatriotes. Ils n'étaient au pied des autels que pour
demander la santé de leurs pères, l'union de leurs frères,
la tendresse de leurs femmes, l'amour et l'obéissance de
leurs enfants. Les filles y venaient apporter le tendre sacrifice de leur cœur et ne leur demandaient d'autre grâce que
60 celle de pouvoir rendre un Troglodyte heureux.

      Le soir, lorsque les troupeaux quittaient les prairies,
et que les bœufs fatigués avaient ramené la charrue, ils
s'assemblaient, et, dans un repas frugal, ils chantaient
les injustices des premiers Troglodytes et leurs malheurs,
65 la vertu renaissante avec un nouveau peuple et sa félicité.
Ils célébraient les grandeurs des Dieux, leurs faveurs
toujours présentes aux hommes [4] qui les implorent; et leur
colère inévitable à ceux qui ne les craignent pas; ils décri-
vaient ensuite les délices de la vie champêtre et le bonheur
70 d'une condition toujours parée de l'innocence. Bientôt ils

---

1. Dans sa pureté originelle. — 2. Obtenu par surprise. — 3. Payée trop cher.
4. A la disposition des hommes, agissant immédiatement.

s'abandonnaient à un sommeil que les soins [1] et les chagrins n'interrompaient jamais.

La Nature ne fournissait pas moins [2] à leurs désirs qu'à leurs besoins. Dans ce pays heureux, la cupidité était étrangère : ils se faisaient des présents où celui qui donnait croyait toujours avoir l'avantage. Le peuple troglodyte se regardait comme une seule famille : les troupeaux étaient presque toujours confondus [3] ; la seule peine qu'on s'épargnait ordinairement, c'était de les partager.

D'Erzeron, le 6 de la lune de Gemmadi [4] 2, 1711.

● **Le bonheur des Troglodytes**

① Montrer que Montesquieu définit la vertu des bons Troglodytes comme une vertu civique.

② En quoi la formule (l. 23) *l'intérêt des particuliers se trouve toujours dans l'intérêt commun* résume-t-elle la pensée de l'auteur? On rapprochera la formule de cette déclaration inscrite par Montesquieu dans ses *Cahiers* (I, p. 492) :

Si je savais quelque chose qui me fût utile, et qui fût préjudiciable à ma famille, je le rejetterais de mon esprit. Si je savais quelque chose utile à ma famille, et qui ne le fût pas à ma patrie, je chercherais à l'oublier. Si je savais quelque chose utile à ma patrie, et qui fût préjudiciable à l'Europe, ou bien qui fût utile à l'Europe et préjudiciable au Genre humain, je le regarderais comme un crime.

③ Quels avantages moraux et économiques assure, d'après ces textes, la pratique de la vertu?

● **La religion** apparaît naturellement chez les Troglodytes, sans qu'il y ait de révélation.

④ Où réside l'audace de cette théorie?

⑤ A quel point de vue l'auteur se place-t-il pour faire l'éloge de la religion?

● **Le ton sentimental** et édifiant de cette peinture idyllique fait parfois songer à la fadeur du *Télémaque*, que Montesquieu appelait « le livre divin de ce siècle ».

⑥ Comparer l'évocation des bons Troglodytes à la description que fera Rousseau, dans *la Nouvelle Héloïse* (1761), de la vie rustique et simple à Clarens (V, 7).

---

1. Soucis. — 2. N'offrait *pas moins* abondamment. — 3. Mis en commun. — 4. Août.

LETTRE 13

USBEK AU MÊME

Je ne saurais assez te parler de la vertu des Troglodytes.
Un d'eux disait un jour : « Mon père doit demain labourer
son champ ; je me lèverai deux heures avant lui, et, quand
il ira à son champ, il le trouvera tout labouré. »

5　　　Un autre disait en lui-même : « Il me semble que ma
sœur a du goût pour un jeune Troglodyte de nos parents ;
il faut que je parle à mon père, et que je le détermine à
faire ce mariage. »

On vint dire à un autre que des voleurs avaient enlevé
10　son troupeau : « J'en suis bien fâché, dit-il ; car il y avait
une génisse toute blanche que je voulais offrir aux Dieux. »

On entendait dire à un autre : « Il faut que j'aille au
Temple remercier les Dieux : car mon frère, que mon père
aime tant, et que je chéris si fort, a recouvré la santé. »

15　　　Ou bien : « Il y a un champ qui touche celui de mon
père, et ceux qui le cultivent sont tous les jours exposés
aux ardeurs du Soleil ; il faut que j'aille y planter deux
arbres, afin que ces pauvres gens puissent aller quelquefois
se reposer sous leur ombre. »

20　　　Un jour que plusieurs Troglodytes étaient assemblés,
un vieillard parla d'un jeune homme qu'il soupçonnait
d'avoir commis une mauvaise action, et lui en fit des
reproches. « Nous ne croyons pas qu'il ait commis ce crime,
dirent les jeunes Troglodytes ; mais, s'il l'a fait, puisse-t-il
25　mourir le dernier de sa famille [1] ! »

On vint dire à un Troglodyte que des étrangers avaient
pillé sa maison et avaient tout emporté. « S'ils n'étaient pas
injustes, répondit-il, je souhaiterais que les Dieux leur en
donnassent un plus long usage qu'à moi. »

30　　　Tant de prospérités ne furent pas regardées sans envie ;
les peuples voisins s'assemblèrent, et, sous un vain [2] prétexte, ils résolurent d'enlever leurs troupeaux. Dès que
cette résolution fut connue, les Troglodytes envoyèrent

---

1. Sans descendants. — 2. Sans aucun fondement.

au-devant d'eux des ambassadeurs, qui leur parlèrent
ainsi : 35

« Que vous ont fait les Troglodytes? Ont-ils enlevé
vos femmes, dérobé vos bestiaux, ravagé vos campagnes?
Non : nous sommes justes, et nous craignons les Dieux.
Que demandez-vous donc de nous? Voulez-vous de la
laine pour vous faire des habits? Voulez-vous du lait 40
pour vos troupeaux ou des fruits de nos terres? Mettez
bas les armes; venez au milieu de nous, et nous vous
donnerons de tout cela. Mais nous jurons, par ce qu'il y a
de plus sacré, que, si vous entrez dans nos terres comme
ennemis, nous vous regarderons comme un peuple injuste, 45
et que nous vous traiterons comme des bêtes farouches [1]. »

Ces paroles furent renvoyées [2] avec mépris : ces peuples
sauvages entrèrent armés dans la terre des Troglodytes,
qu'ils ne croyaient défendus que par leur innocence.

Mais ils étaient bien disposés à la défense [3] : ils avaient 50
mis leurs femmes et leurs enfants au milieu d'eux. Ils
furent étonnés [4] de l'injustice de leurs ennemis, et non pas
de leur nombre. Une ardeur nouvelle s'était emparée de
leur cœur : l'un voulait mourir pour son père; un autre,
pour sa femme et ses enfants; celui-ci, pour ses frères; 55
celui-là, pour ses amis; tous, pour le peuple troglodyte.
La place de celui qui expirait était d'abord [5] prise par un

---

● **Les vertus des Troglodytes,** illustrées par une série de sept anecdotes, peuvent se ramener à une vertu essentielle.

① Définir cette vertu. Étudier le lyrisme et le style direct de
Montesquieu dans ces anecdotes.

● **Les Troglodytes et la guerre**

② Comparer l'attitude des Troglodytes avant l'agression à
celle de Grandgousier attaqué par Picrochole, dans le *Gargantua*
de Rabelais (chap. XXVIII).

③ En quoi le comportement des Troglodytes annonce-t-il ce
jugement de *l'Esprit des lois* (X, 2)?
*La vie des États est comme celle des hommes. Ceux-ci ont droit de tuer
dans le cas de la défense naturelle; ceux-là ont droit de faire la guerre
pour leur propre conservation.*

④ Comment Usbek explique-t-il la victoire des Troglodytes?
En quoi cet épisode se rattache-t-il à la démonstration tentée par
Montesquieu? En quoi annonce-t-il le *Discours sur les sciences et
les arts* de Rousseau?

---

1. Sauvages. — 2. Rejetées. — 3. Décidés à se défendre. — 4. Effrayés. — 5. Aussitôt.

autre, qui, outre la cause commune, avait encore une mort
particulière à venger.

60   Tel fut le combat de l'Injustice et de la Vertu; ces
peuples lâches, qui ne cherchaient que le butin, n'eurent
pas honte de fuir, et ils cédèrent à la vertu des Troglodytes,
même sans en être touchés [1].

D'Erzeron, le 9 de la lune de Gemmadi [2] 2, 1711.

LETTRE 14

USBEK AU MÊME

Comme le Peuple grossissait tous les jours, les Troglodytes crurent qu'il était à propos de se choisir un
roi. Ils convinrent qu'il fallait déférer la couronne à celui
qui était le plus juste, et ils jetèrent tous les yeux sur
5   un vieillard vénérable par son âge et par une longue
vertu. Il n'avait pas voulu se trouver à cette assemblée;
il s'était retiré dans sa maison, le cœur serré de tristesse.
Lorsqu'on lui envoya les députés pour lui apprendre
le choix qu'on avait fait de lui : « A Dieu ne plaise, dit-il,
10   que je fasse ce tort aux Troglodytes, que l'on puisse croire
qu'il n'y a personne parmi eux de plus juste que moi!
Vous me déférez la couronne, et, si vous le voulez absolument, il faudra bien que je la prenne. Mais comptez que
je mourrai de douleur d'avoir vu en naissant les Troglo-
15   dytes libres et de les voir aujourd'hui assujettis [3]. » A ces
mots, il se mit à répandre un torrent de larmes. « Malheureux jour! disait-il; et pourquoi ai-je tant vécu? » Puis il
s'écria d'une voix sévère : « Je vois bien ce que c'est, ô Troglodytes! votre vertu commence à vous peser. Dans
20   l'état où vous êtes, n'ayant point de chef, il faut que
vous soyez vertueux malgré vous : sans cela vous ne
sauriez subsister, et vous tomberiez dans le malheur de
vos premiers pères. Mais ce joug vous paraît trop dur;

---

1. Sans prendre exemple eux-mêmes sur cette vertu. — 2. Août. — 3. Transformés
en *sujets* d'un monarque.

vous aimez mieux être soumis à un prince et obéir à
ses lois, moins rigides que vos mœurs. Vous savez que, 25
pour lors, vous pourrez contenter votre ambition, acquérir
des richesses et languir dans une lâche volupté, et que,
pourvu que vous évitiez de tomber dans les grands crimes,
vous n'aurez pas besoin de la vertu. » Il s'arrêta un moment,
et ses larmes coulèrent plus que jamais. « Et que préten- 30
dez-vous que je fasse ? Comment se peut-il que je commande
quelque chose à un Troglodyte ? Voulez-vous qu'il fasse
une action vertueuse parce que je la lui commande, lui
qui la ferait tout de même [1] sans moi et par le seul penchant [2]
de la nature ? O Troglodytes ! je suis à la fin de mes jours ; 35
mon sang est glacé dans mes veines ; je vais bientôt revoir
vos sacrés aïeux. Pourquoi voulez-vous que je les afflige,
et que je sois obligé de leur dire que je vous ai laissés sous
un autre joug que celui de la Vertu ? »

D'Erzeron, le 10 de la lune de Gemmadi [3] 2, 1711.

● **La vertu selon Montesquieu**

L'Esprit des lois précise la différence entre la *nature*, c'est-à-dire
la structure, de chaque sorte de gouvernement et son *principe*,
c'est-à-dire le sentiment qui domine dans la conscience des gouvernants et des gouvernés. Un gouvernement ne peut se maintenir
sans se corrompre que si le sentiment qui en est le ressort subsiste.
Ce sentiment, dans une démocratie, est la vertu.
Montesquieu définit la vertu politique comme le sentiment du bien
public et de l'égalité entre les citoyens : ceux-ci doivent aimer assez
le bien public pour adopter les lois qu'il requiert, et s'y soumettre,
quoi qu'il en coûte à leurs intérêts particuliers. Cette vertu est aussi
l'amour de la patrie car le peuple doit préférer la chose publique à
son bien propre. C'est enfin l'amour de l'égalité.
*Lorsque cette vertu cesse, l'ambition entre dans les cœurs qui peuvent
la recevoir et l'avarice entre dans tous. Les désirs changent d'objets :
ce qu'on aimait, on ne l'aime plus ; on était libre avec les lois, on veut
être libre contre elles* (III, 4).

① Dans quelle mesure la lettre 14 annonce-t-elle ces théories ?
② Qu'y a-t-il de poignant dans les regrets du vieux Troglodyte ?

● **La « sensibilité »**

③ Relever les formules où se manifeste déjà une tendance à la
« sensibilité » qui envahira la littérature vers le milieu du
XVIIIe siècle.

---

1. Tout aussi bien. — 2. La seule impulsion. — 3. Août.

*Il a suffi à Usbek de quitter le cadre traditionnel de la
Perse pour être atteint de doutes religieux* (Lettre **16**).
*Tout naturellement il s'adresse à une autorité religieuse, le
Mollak* [1] *Méhémet-Hali, gardien des trois tombeaux à Com.*

LETTRE 17

USBEK AU MOLLAK MÉHÉMET-HALI

Je ne puis, divin Mollak, calmer mon impatience; je
ne saurais attendre ta sublime réponse. J'ai des doutes;
il faut les fixer. Je sens que ma raison s'égare; ramène-la
dans le droit chemin. Viens m'éclairer, source de lumière;
5 foudroie avec ta plume divine les difficultés que je vais te
proposer; fais-moi pitié de moi-même et rougir de la
question que je vais te faire.

D'où vient que notre législateur nous prive de la
chair de pourceau et de toutes les viandes qu'il appelle
10 *immondes* [2] ? D'où vient qu'il nous défend de toucher un
corps mort, et que, pour purifier notre âme, il nous ordonne
de nous laver sans cesse le corps? Il me semble que les
choses ne sont en elles-mêmes ni pures ni impures : je ne
puis concevoir aucune qualité inhérente [3] au sujet qui
15 puisse les rendre telles. La boue ne nous paraît sale que
parce qu'elle blesse notre vue ou quelque autre de nos sens;
mais, en elle-même, elle ne l'est pas plus que l'or et les dia-
mants. L'idée de souillure contractée [4] par l'attouchement [5]
d'un cadavre ne nous est venue que d'une certaine répu-
20 gnance naturelle que nous en avons. Si les corps de
ceux qui ne se lavent point ne blessaient ni l'odorat ni la
vue, comment aurait-on pu s'imaginer qu'ils fussent
impurs?

Les sens, divin Mollak, doivent donc être les seuls
25 juges de la pureté ou de l'impureté des choses. Mais,
comme les objets n'affectent point les hommes de la

---

1. Voir p. 26, note 5. — 2. Impures. — 3. Jointe inséparablement. — 4. Entraînée. —
5. Le contact.

même manière, que ce qui donne une sensation agréable aux uns en produit une dégoûtante chez les autres, il suit que le témoignage des sens ne peut servir ici de règle, à moins qu'on ne dise que chacun peut, à sa fantaisie, décider [1] ce point et distinguer, pour ce qui le concerne, les choses pures d'avec celles qui ne le sont pas.

Mais cela même, sacré Mollak, ne renverserait-il pas les distinctions établies par notre divin Prophète et les points fondamentaux de la Loi, qui a été écrite de la main des Anges [2]?

D'Erzeron, le 20 de la lune de Gemmadi [3] 2, 1711.

● **La composition** (*Lettre* 17) est mise en relief par la division en quatre paragraphes :
— Exorde en style oriental.

① Existe-t-il une contradiction entre l'utilisation du style fleuri dans ce paragraphe et la formule de la *Préface* (p. 22, l. 28) : *J'ai soulagé le lecteur du langage asiatique autant que je l'ai pu*? Penser à la personnalité du correspondant d'Usbek.
— Les inquiétudes d'Usbek et son effort pour les apaiser avec le seul secours de la raison.

② Comparer l'explication d'Usbek avec celle de Montesquieu dans ses *Pensées* (III, f⁰ 28) : *Il est naturel d'avoir de l'aversion pour les choses désagréables à nos sens.*
— Élargissement du problème : quelle valeur peut-on attribuer au témoignage des sens? Cette idée atteste l'influence exercée par l'empirisme du philosophe anglais Locke (voir Voltaire, *Lettres philosophiques*, Lettre XIII; sur *M. Locke*).
— Scepticisme d'Usbek.

③ De quelle contradiction naît ce scepticisme?

● **L'information de Montesquieu** sur l'Islam est très sûre.

④ Relever des rites et des formules caractéristiques de la religion islamique.

● **L'intention philosophique** de l'auteur apparaît dans l'analogie entre les rites islamiques et les rites chrétiens. Selon Montesquieu, les interdits ne peuvent s'expliquer que par une impression défavorable produite sur les sens. Les impressions variant selon les hommes, chacun peut donc, à son gré, trancher en matière de religion.
Ce raisonnement logique sort renforcé de la réponse absurde du correspondant d'Usbek (*Lettre* **18**).

---

1. Porter un jugement sur... — 2. Mahomet aurait reçu la majeure partie de la Loi par une révélation de l'ange Gabriel. — 3. Août.

LETTRE 18

*MÉHÉMET-HALI, SERVITEUR DES PROPHÈTES, A USBEK
A ERZERON*

Vous nous faites toujours des questions qu'on a faites
mille fois à notre saint Prophète. Que ne lisez-vous les
Traditions des Docteurs [1]? Que n'allez-vous à cette source
pure de toute intelligence? Vous trouveriez tous vos
5   doutes résolus.

Malheureux, qui, toujours embarrassés des choses
de la Terre, n'avez jamais regardé d'un œil fixe celles
du Ciel, et qui révérez la condition des mollaks, sans oser
ni l'embrasser ni la suivre!

10   Profanes, qui n'entrez jamais dans les secrets de l'Éternel,
vos lumières ressemblent aux ténèbres de l'Abîme [2], et
les raisonnements de votre esprit sont comme la poussière
que vos pieds font élever lorsque le Soleil est dans son
midi, dans le mois ardent de Chahban [3].

15   Aussi le zénith de votre esprit ne va pas au nadir [4] de
celui du moindre des immaums [5]. Votre vaine philosophie
est cet éclair qui annonce l'orage et l'obscurité; vous êtes
au milieu de la tempête, et vous errez au gré des vents.

Il est bien facile de répondre à votre difficulté : il ne faut
20   pour cela que vous raconter ce qui arriva un jour à notre
saint Prophète, lorsque, tenté par les Chrétiens, éprouvé
par les Juifs, il confondit également les uns et les autres.

Le Juif Abdias Ibesalon [6] lui demanda pourquoi Dieu
avait défendu de manger de la chair de pourceau. « Ce
25   n'est pas sans raison, répondit Mahomet : c'est un animal
immonde [7], et je vais vous en convaincre. » Il fit sur sa main,
avec de la boue, la figure d'un homme; il la jeta à terre et
lui cria : « Levez-vous! » Sur-le-champ, un homme se leva
et dit : « Je suis Japhet, fils de Noé. — Avais-tu les cheveux
30   aussi blancs quand tu es mort? lui dit le saint Prophète.

---

1. L'interprétation du Coran par les théologiens musulmans. — 2. Équivalent de l'enf[er]
chrétien. — 3. Octobre. — 4. Opposé du zénith. — 5. Les *Imans* sont les successeurs d[u]
Prophète. — 6. Abdias Iben Salon, juif de Médine, converti par Mahomet. On a fa[it]
des livres entiers avec ses questions aux Prophètes. — 7. Impur.

— Non, répondit-il; mais, quand tu m'as réveillé, j'ai cru que le jour du Jugement était venu, et j'ai eu une si grande frayeur que mes cheveux ont blanchi tout à coup. »

« Or çà, raconte-moi, lui dit l'Envoyé de Dieu, toute l'histoire de l'arche de Noé. » Japhet obéit et détailla exacte- 35 ment tout ce qui s'était passé les premiers mois. Après quoi il parla ainsi :

« Nous mîmes les ordures de tous les animaux dans un côté de l'Arche; ce qui la fit si fort pencher, que nous en eûmes une peur mortelle : surtout nos femmes, qui se 40 lamentaient de la belle manière. Notre père Noé ayant été au conseil de Dieu, il lui commanda de prendre l'éléphant et de lui faire tourner la tête vers le côté qui penchait. Ce grand animal fit tant d'ordures qu'il en naquit un cochon. »

Croyez-vous [1], Usbek, que, depuis ce temps-là, nous 45 nous en soyons abstenus, et que nous l'ayons regardé comme un animal immonde?

Mais, comme le cochon remuait tous les jours ces ordures, il s'éleva une telle puanteur dans l'Arche, qu'il ne put lui-même s'empêcher d'éternuer, et il sortit de son 50 nez un rat, qui allait rongeant tout ce qui se trouvait devant lui : ce qui devint si insupportable à Noé, qu'il crut qu'il était à propos de consulter Dieu encore. Il lui ordonna de donner au lion un grand coup sur le front, qui éternua aussi et fit sortir de son nez un chat. Croyez-vous que ces 55 animaux soient encore immondes? Que vous en semble?

Quand donc vous n'apercevez pas la raison de l'impureté de certaines choses, c'est que vous en ignorez beaucoup d'autres, et que vous n'avez pas la connaissance de ce qui s'est passé entre Dieu, les Anges et les Hommes. Vous ne 60 savez pas l'histoire de l'éternité. Vous n'avez point lu les livres qui sont écrits au Ciel [2] : ce qui vous en a été révélé n'est qu'une petite partie de la bibliothèque divine [3], et

---

① Examiner, d'après le détail du texte (*Lettre* **18**), cette appré-
ciation d'Antoine Adam (*Lettres persanes*, édition critique, p. 53):
*La réponse de Méhémet-Hali prouve l'impossibilité où sont les théolo-
giens de raisonner. Ils foudroient et donnent pour des preuves les
affirmations de la foi qu'on leur demande de justifier.*

---

1. Ne comprenez-vous pas. — 2. Voir p. 39, note 2. — 3. Montesquieu donne au
mollak le ton du Jésuite dans *les Provinciales* de Pascal.

ceux qui, comme nous, en approchent de plus près tandis
65 qu'ils sont en cette vie, sont encore dans l'obscurité et les
ténèbres.

Adieu; Mahomet soit dans votre cœur.

De Com, le dernier de la lune de Chahban [1], *1711.*

LETTRE 19

USBEK A SON AMI RUSTAN
A ISPAHAN

Nous n'avons séjourné que huit jours à Tocat [2]; après
trente-cinq jours de marche, nous sommes arrivés à
Smyrne [3].

De Tocat à Smyrne, on ne trouve pas une seule ville
5 qui mérite qu'on la nomme. J'ai vu avec étonnement la
faiblesse de l'empire des Osmanlins [4]. Ce corps malade ne se
soutient pas par un régime doux et tempéré, mais par des
remèdes violents, qui l'épuisent et le minent sans cesse.

Les bachas [5], qui n'obtiennent leurs emplois qu'à force
10 d'argent, entrent ruinés dans les provinces et les ravagent
comme des pays de conquête. Une milice [6] insolente n'est
soumise qu'à ses caprices. Les places sont démantelées;
les villes, désertes; les campagnes, désolées; la culture des
terres et le commerce, entièrement abandonnés.

15 L'impunité règne dans ce gouvernement sévère : les
Chrétiens qui cultivent les terres, les Juifs, qui lèvent les
tributs, sont exposés à mille violences.

La propriété des terres est incertaine, et, par conséquent, l'ardeur de les faire valoir, ralentie : il n'y a ni
20 titre ni possession qui vaille contre le caprice de ceux qui
gouvernent.

Ces barbares ont tellement abandonné les arts [7], qu'ils
ont négligé jusques à l'art militaire. Pendant que les
nations d'Europe se raffinent tous les jours, ils restent dans
25 leur ancienne ignorance, et ils ne s'avisent de prendre leurs

---

1. Octobre. — 2. Ville de Cappadoce, centre de caravanes et siège d'une garnison
turque. — 3. Port de Turquie d'Asie sur la mer Égée. — 4. Ottomans. — 5. Pachas, chefs
locaux. — 6. Armée — 7. Techniques.

nouvelles inventions qu'après qu'elles s'en sont servies mille fois contre eux.

Ils n'ont aucune expérience sur la mer, point d'habileté dans la manœuvre. On dit qu'une poignée de Chrétiens sortis d'un rocher[1] font suer les Ottomans et fatiguent[2] leur empire.

Incapables de faire le commerce, ils souffrent presque avec peine que les Européens, toujours laborieux et entreprenants, viennent le faire : ils croient faire grâce à ces étrangers de permettre qu'ils les enrichissent.

Dans toute cette vaste étendue de pays que j'ai traversée, je n'ai trouvé que Smyrne qu'on puisse regarder comme une ville riche et puissante. Ce sont les Européens qui la rendent telle, et il ne tient pas aux Turcs qu'elle ne ressemble à toutes les autres.

Voilà, cher Rustan, une juste idée de cet empire, qui, avant deux siècles, sera le théâtre des triomphes de quelque conquérant.

De Smyrne, le 2 de la lune de Rhamazan[3], 1711.

- **La vraisemblance** (*Lettre* **19**)
  L'âpreté d'Usbek dans la critique s'explique par la haine, alors très vivace, qui opposait Persans et Turcs. De plus, le plateau d'Anatolie constitue la partie la moins prospère de la Turquie, et il n'est pas étonnant qu'en trente-cinq jours de marche à l'allure des caravanes, Usbek tire de son voyage des conclusions pessimistes sur l'état de l'Empire ottoman.

- **Montesquieu et le despotisme** --- Cette lettre montre que, bien avant *l'Esprit des lois*, l'aversion de Montesquieu s'appliquait au régime despotique.
  ① Comment l'auteur met-il en relief l'absence de toute structure dans l'empire turc?
  Une des nouveautés introduites par Montesquieu dans la science politique est l'opposition entre la monarchie et le despotisme. L'auteur de *l'Esprit des lois* a fondé sa distinction entre les gouvernements sur l'idée de liberté et posé en principe la nécessité d'arrêter l'arbitraire des gouvernants. Cet idéal peut, selon lui, se réaliser dans un régime républicain ou monarchique, pourvu que ce dernier régime ne tourne pas au despotisme. Et Montesquieu s'est efforcé de prouver par l'histoire le libéralisme de la monarchie française à ses origines (cf. p. 127), tout en tirant parti des moindres occasions pour stigmatiser les vices du despotisme oriental.

---

1. Les chevaliers de Malte, ordre militaire et religieux. — 2. Accablent. — 3. Novembre.

*Usbek, dont la jalousie et les inquiétudes croissent à
mesure qu'il s'éloigne de son sérail, part de Livourne pour
Paris où se trouve déjà son ami Rica* (Lettres **20-23**).

LETTRE 24

RICA A IBBEN
A SMYRNE

Nous sommes à Paris depuis un mois, et nous avons
toujours été dans un mouvement continuel. Il faut bien
des affaires avant qu'on soit logé, qu'on ait trouvé les gens
à qui on est adressé, et qu'on se soit pourvu des choses
5   nécessaires, qui manquent toutes à la fois.

Paris est aussi grand qu'Ispahan [1]. Les maisons y sont
si hautes qu'on jugerait qu'elles ne sont habitées que par
des astrologues. Tu juges bien qu'une ville bâtie en l'air,
qui a six ou sept maisons les unes sur les autres, est extrê-
10 mement peuplée, et que, quand tout le monde est descendu
dans la rue, il s'y fait un bel embarras [2].

Tu ne le croirais pas peut-être : depuis un mois que
je suis ici, je n'y ai encore vu marcher personne. Il n'y a
point de gens au monde qui tirent mieux parti de leur
15 machine [3] que les Français : ils courent; ils volent. Les
voitures lentes d'Asie, le pas réglé de nos chameaux, les
feraient tomber en syncope. Pour moi, qui ne suis point
fait à ce train [4], et qui vais souvent à pied sans changer
d'allure, j'enrage quelquefois comme un Chrétien : car
20 encore passe qu'on m'éclabousse depuis les pieds jusqu'à la
tête, mais je ne puis pardonner les coups de coude que je
reçois régulièrement et périodiquement. Un homme qui
vient après moi, et qui me passe [5], me fait faire un demi-
tour, et un autre, qui me croise de l'autre côté, me remet
25 soudain où le premier m'avait pris; et je n'ai pas fait cent
pas, que je suis plus brisé que si j'avais fait dix lieues.

Ne crois pas que je puisse, quant à présent, te parler à
fond des mœurs et des coutumes européennes : je n'en ai

---

1. Paris comptait, en 1713, 700 000 habitants, et Chardin, en 1671, évaluait la population
d'Ispahan à environ 600 000 habitants. — 2. Encombrement. — 3. Corps. — 4. Cette
allure. — 5. Dépasse.

moi-même qu'une légère idée, et je n'ai eu à peine que le
temps de m'étonner.   30

   Le Roi de France est le plus puissant prince de l'Europe.
Il n'a point de mines d'or comme le roi d'Espagne [1], son

● **Les embarras de Paris** (*Lettre 24*)

Montesquieu renouvelle un thème traité avec bonheur par Boileau
(*Satires*, V, v. 21 et suiv.) :

> En quelque endroit que j'aille, il faut fendre la presse
> D'un peuple d'importuns qui fourmillent sans cesse.
> L'un me heurte d'un ais, dont je suis tout froissé;
> Je vois d'un autre coup mon chapeau renversé.

① Montrer que la description de l'agitation parisienne par Montesquieu est l'œuvre d'un caricaturiste. Comment peut-on expliquer la légère outrance du tableau?

● **L'humour**

Il est fondé sur le procédé de l'antithèse. Puisque, sous le voile de
la fiction, Montesquieu veut passer en revue toute la société française de son temps, il souligne constamment l'opposition entre
Paris et Ispahan, entre l'Orient et l'Europe, entre ce qui est
réellement et ce que le bon sens souhaiterait.

② Relever quelques antithèses caractéristiques.

③ *Paris est aussi grand qu'Ispahan* (l. 6). Pourquoi l'humour
disparaît-il quand on renverse la formule?

● **Le roi de France**

La hardiesse politique de Montesquieu paraît moins méritoire que
celle de La Bruyère (*Caractères*, X, « Du Souverain ») parce que
Louis XIV est mort six ans avant la publication des *Lettres persanes*. Mais elle a plus de portée; Rica ébauche la théorie de
l'*Esprit des lois* sur le rôle de l'honneur dans les monarchies :
*Le gouvernement monarchique suppose [...] des prééminences, des
rangs et même une noblesse d'origine. La nature de l'honneur est
de demander des préférences et des distinctions; il est donc, par la
chose même, placé dans ce gouvernement* (*Esprit des lois*, III, 7).
Rica attache une grande importance aux questions financières en
rapport avec les difficultés du règne de Louis XIV et la situation
de la France sous la Régence.

④ Mettre en relief le contraste entre la solidité de l'information
et le ton de « reportage » superficiel et plaisant.

Montesquieu n'était pas seul à sourire du don surnaturel de guéris-
seur prêté au roi de France. Dans son *Journal* (I, p. 47) d'Argenson
rapporte que, intendant du Hainaut, il avait cherché à faire sa cour
en constituant un dossier fourni sur la guérison miraculeuse d'un
homme que le roi avait touché à Reims.

---

1. Au Pérou.

voisin; mais il a plus de richesses que lui, parce qu'il les
tire de la vanité de ses sujets, plus inépuisable que les
35 mines. On lui a vu entreprendre ou soutenir de grandes
guerres, n'ayant d'autres fonds que des titres d'honneur
à vendre[1], et, par un prodige[2] de l'orgueil humain, ses
troupes se trouvaient payées, ses places, munies[3], et ses
flottes, équipées.

40 D'ailleurs ce roi est un grand magicien : il exerce son
empire sur l'esprit même de ses sujets; il les fait penser
comme il veut. S'il n'a qu'un million d'écus dans son trésor, et qu'il en ait besoin de deux, il n'a qu'à leur persuader
qu'un écu en vaut deux, et ils le croient[4]. S'il a une guerre
45 difficile à soutenir, et qu'il n'ait point d'argent, il n'a qu'à
leur mettre dans la tête qu'un morceau de papier est de
l'argent[5], et ils en sont aussitôt convaincus. Il va même jusqu'à leur faire croire qu'il les guérit de toutes sortes de
maux en les touchant[6], tant est grande la force et la puis-
50 sance qu'il a sur les esprits.

Ce que je te dis de ce prince ne doit pas t'étonner :
il y a un autre magicien, plus fort que lui, qui n'est pas
moins maître de son esprit qu'il l'est lui-même de celui
des autres. Ce magicien s'appelle *le Pape*. Tantôt il lui fait
55 croire que trois ne sont qu'un[7], que le pain qu'on mange
n'est pas du pain, ou que le vin qu'on boit n'est pas du vin[8],
et mille autres choses de cette espèce.

Et pour le tenir toujours en haleine et ne point lui
laisser perdre l'habitude de croire, il lui donne de temps en
60 temps, pour l'exercer, de certains articles de croyance.
Il y a deux ans qu'il lui envoya un grand écrit, qu'il appela
Constitution[9], et voulut obliger, sous de grandes peines,
ce prince et ses sujets de croire tout ce qui y était contenu.
Il réussit à l'égard du Prince, qui se soumit aussitôt et
65 donna l'exemple à ses sujets. Mais quelques-uns[10] d'entre
eux se révoltèrent et dirent qu'ils ne voulaient rien croire de

---

1. La vente d'offices nouveaux, d'exemptions et de titres de noblesse fut l'expédient
financier le plus souvent utilisé par Louis XIV à partir de 1689. — 2. Miracle. — 3. Fortifiées.
— 4. Allusion aux 43 variations du cours de l'écu entre 1689 et 1715. — 5. Le premier
papier-monnaie apparaît en 1701. — 6. On croyait que les rois de France avaient le pouvoir
de guérir, par imposition des mains, les écrouelles (inflammation tuberculeuse des ganglions
du cou). — 7. Allusion au dogme de la Trinité, selon lequel Dieu serait à la fois *une* substance et *trois* personnes. — 8. Allusion au dogme de l'Eucharistie, d'après lequel le pain
et le vin consacrés se transforment substantiellement en corps et en sang de Jésus, tout
entier dans chaque parcelle. — 9. La Bulle *Unigenitus*, promulguée le 8 septembre 1713,
condamnait le jansénisme. — 10. Les Jansénistes.

tout ce qui était dans cet écrit. Ce sont les femmes qui ont
été les motrices de toute cette révolte, qui divise toute la
Cour, tout le Royaume et toutes les familles. Cette Constitution leur défend de lire un livre que tous les Chrétiens 70
disent avoir été apporté du Ciel [1] : c'est proprement leur
Alcoran [2]. Les femmes, indignées de l'outrage fait à leur
sexe, soulèvent tout contre la Constitution ; elles ont mis
les hommes de leur parti, qui, dans cette occasion, ne veulent
point avoir de privilège. On doit pourtant avouer que ce 75
moufti [3] ne raisonne pas mal, et, par le grand Hali [4], il faut
qu'il ait été instruit des principes de notre sainte Loi. Car,
puisque les femmes sont d'une création inférieure à la
nôtre, et que nos prophètes nous disent qu'elles n'entreront point dans le Paradis [5], pourquoi faut-il qu'elles se 80
mêlent de lire un livre qui n'est fait que pour apprendre le
chemin du Paradis ?

J'ai ouï raconter du Roi des choses qui tiennent du
prodige, et je ne doute pas que tu ne balances à les croire.

On dit que, pendant qu'il faisait la guerre à ses voisins, 85
qui s'étaient tous ligués contre lui [6], il avait dans son
royaume un nombre innombrable d'ennemis invisibles [7] qui
l'entouraient. On ajoute qu'il les a cherchés pendant plus
de trente ans, et que, malgré les soins infatigables de cer-

● **Le Pape** (*Lettre* **24**)

   ① Expliquer l'ironie et l'audace des formules utilisées par Montesquieu (cf. p. 51).

● **Le Jansénisme**

   Malgré la destruction de Port-Royal, malgré l'exil des principaux
Jansénistes hors du royaume, le Jansénisme conservait de nombreux partisans, déclarés ou non. La bulle *Unigenitus*, qui le
condamnait, suscita par ailleurs, au nom des libertés gallicanes,
de vives oppositions dans l'Assemblée du clergé français, à la
Sorbonne et dans les Parlements.

   ② Quels aspects politiques des controverses religieuses Montesquieu met-il en relief ?

---

1. La Bulle interdisait aux femmes la lecture de la Bible. — 2. Voir p. 26, note 6. —
3. Chef de la discipline ecclésiastique ; le mot désigne ici le Pape. — 4. Gendre de Mahomet.
— 5. Il y a, en fait, un Paradis musulman pour les femmes, séparé de celui des hommes. —
6. Dans la guerre de Succession d'Espagne, l'Angleterre, l'Autriche, les Princes Allemands, la Hollande, le Danemark se liguèrent contre la France. — 7. Les Jansénistes.

90 tains dervis [1] qui ont sa confiance [2], il n'en a pu trouver un
    seul. Ils vivent avec lui : ils sont à sa cour, dans sa capitale,
    dans ses troupes, dans ses tribunaux; et cependant on dit
    qu'il aura le chagrin de mourir sans les avoir trouvés. On
    dirait qu'ils existent en général, et qu'ils ne sont plus rien
95 en particulier : c'est un corps, mais point de membres.
    Sans doute que le Ciel veut punir ce prince de n'avoir
    pas été assez modéré envers les ennemis qu'il a vaincus,
    puisqu'il lui en donne d'invisibles, et dont le génie et le
    destin sont au-dessus du sien.
100 Je continuerai à t'écrire, et je t'apprendrai des choses
    bien éloignées du caractère et du génie persan. C'est
    bien la même Terre qui nous porte tous deux; mais les
    hommes du pays où je vis, et ceux du pays où tu es, sont
    des hommes bien différents.

De Paris, le 4 de la lune de Rebiab [3] 2, 1712.

*Usbek, à son tour, annonce à ses correspondants son
arrivée à Paris, compare dans une lettre à Roxane (**26**) les
femmes de l'Orient et de l'Occident et signale que le climat
de Paris ne convient guère à sa santé (Lettre **27**).*

LETTRE 28

RICA A ***

Je vis hier une chose assez singulière, quoiqu'elle se passe
tous les jours à Paris.
Tout le peuple s'assemble sur la fin de l'après-dînée
et va jouer une espèce de scène que j'ai entendu appeler
5 *comédie*. Le grand mouvement est sur une estrade, qu'on
nomme le *théâtre* [4]. Aux deux côtés, on voit, dans de petits
réduits qu'on nomme *loges*, des hommes et des femmes
qui jouent ensemble des scènes muettes, à peu près comme
celles qui sont en usage en notre Perse [5].

---

1. Moines musulmans. — 2. Allusion aux confesseurs du roi, les Jésuites La Chaise
et Le Tellier. — 3. Juin. — 4. La scène. — 5. Rica est allé à la Comédie-Française : il y
observe le public des *loges* plus que la scène elle-même.

Ici, c'est une amante affligée qui exprime sa langueur [1]; [10]
une autre, plus animée, dévore des yeux son amant,
qui la regarde de même : toutes les passions sont peintes
sur les visages et exprimées avec une éloquence qui,
pour être muette, n'en est que plus vive. Là, les actrices
ne paraissent qu'à demi-corps [2] et ont ordinairement [15]
un manchon, par modestie, pour cacher leurs bras. Il y a
en bas une troupe de gens debout [3], qui se moquent de ceux
qui sont en haut sur le théâtre, et ces derniers rient à leur
tour de ceux qui sont en bas.

Mais ceux qui prennent le plus de peine sont quelques [20]
gens qu'on prend pour cet effet dans un âge peu avancé,
pour soutenir la fatigue. Ils sont obligés d'être partout :
ils passent par des endroits qu'eux seuls connaissent,
montent avec une adresse surprenante d'étage en étage;
ils sont en haut, en bas, dans toutes les loges; ils plongent, [25]
pour ainsi dire; on les perd, ils reparaissent; souvent ils
quittent le lieu de la scène et vont jouer dans un autre.
On en voit même qui, par un prodige qu'on n'aurait osé
espérer de leurs béquilles [4], marchent et vont comme les
autres. Enfin on se rend à des salles [5] où l'on joue une [30]
comédie particulière : on commence par des révérences; on
continue par des embrassades [6]. On dit que la connaissance
la plus légère met un homme en droit d'en étouffer un
autre. Il semble que le lieu inspire de la tendresse. En effet,
on dit que les princesses [7] qui y règnent ne sont point [35]
cruelles, et, si on excepte deux ou trois heures du jour [8],
où elles sont assez sauvages, on peut dire que le reste du
temps elles sont traitables [9], et que c'est une ivresse qui les
quitte aisément.

● **La Lettre 28**

① Quelle confusion de Rica rend piquante la critique des spectateurs et des acteurs?

② En quoi la définition de l'Opéra (l. 40-43) est-elle satirique?

③ Comparer cette satire du théâtre aux réflexions critiques de Saint-Preux sur les spectacles *(La Nouvelle Héloïse,* II, 17).

---

1. Son abattement moral. — 2. Jusqu'à mi-corps. — 3. Le public du parterre (doté de sièges seulement en 1782). — 4. Cannes. — 5. Le Foyer. — 6. Dont Molière s'était déjà moqué dans *le Misanthrope.* — 7. Les actrices. — 8. La durée de la représentation. — 9. Accueillantes.

40   Tout ce que je te dis ici se passe à peu près de même
dans un autre endroit, qu'on nomme *l'Opéra :* toute
la différence est qu'on parle à l'un, et que l'on chante
à l'autre [...].

. . . .

De Paris, le 2 de la lune de Chalval[1]*, 1712.*

LETTRE 29

RICA A IBBEN
A SMYRNE

Le Pape est le chef des Chrétiens. C'est une vieille
idole qu'on encense par habitude. Il était autrefois
redoutable aux princes même : car il les déposait aussi
facilement[2] que nos magnifiques sultans déposent les rois
5   d'Irimette et de Géorgie[3]. Mais on ne le craint plus.
Il se dit successeur d'un des premiers Chrétiens, qu'on
appelle *saint Pierre*, et c'est certainement une riche succession : car il a des trésors immenses et un grand pays sous
sa domination.
10   Les évêques sont des gens de loi[4] qui lui sont subor-
donnés et ont, sous son autorité, deux fonctions bien
différentes : quand ils sont assemblés[5], ils font, comme lui,
des articles de foi; quand ils sont en particulier, ils n'ont
guère d'autre fonction que de dispenser d'accomplir la
15   Loi. Car tu sauras que la religion chrétienne est chargée
d'une infinité de pratiques très difficiles, et, comme on a
jugé qu'il est moins aisé de remplir ces devoirs que d'avoir
des évêques qui en dispensent, on a pris ce dernier parti
pour l'utilité publique. De sorte que, si l'on ne veut
20   pas faire le Rhamazan[6]; si on ne veut pas s'assujettir aux
formalités des mariages; si on veut rompre ses vœux[7]; si on
veut se marier contre les défenses de la Loi; quelquefois même, si on veut revenir contre son serment : on va
à l'Évêque ou au Pape, qui donne aussitôt la dispense.

1. Décembre. — 2. Allusion aux conflits entre les Papes et les Empereurs d'Allemagne
au Moyen Age. — 3. Vassaux du shah de Perse. — 4. Chargés de faire appliquer la loi
religieuse. — 5. Dans les conciles. — 6. Le Carême. — 7. *Vœux* ecclésiastiques.

Les évêques ne font pas des articles de foi de leur propre [25] mouvement. Il y a un nombre infini de docteurs, la plupart dervis [1], qui soulèvent entre eux mille questions nouvelles sur la Religion. On les laisse disputer [2] longtemps, et la guerre dure jusqu'à ce qu'une décision vienne la terminer.

Aussi puis-je t'assurer qu'il n'y a jamais eu de royaume [30] où il y ait eu tant de guerres civiles que dans celui du Christ.

Ceux qui mettent au jour quelque proposition nouvelle sont d'abord [3] appelés *hérétiques*. Chaque hérésie [4] a son nom, qui est, pour ceux qui y sont engagés, comme le [35] nom de ralliement. Mais n'est hérétique qui ne veut : il n'y a qu'à partager le différend par la moitié et donner une distinction [5] à ceux qui accusent d'hérésie, et, quelle que soit la distinction, intelligible ou non, elle rend un homme blanc comme de la neige, et il peut se faire appeler [40] *orthodoxe* [6].

Ce que je te dis est bon pour la France et l'Allemagne : car j'ai ouï dire qu'en Espagne et en Portugal il y a de certains dervis qui n'entendent point raillerie [7], et qui font brûler un homme comme de la paille. Quand on tombe [45] entre les mains de ces gens-là, heureux celui qui a toujours prié Dieu avec de petits grains de bois à la main [8], qui a porté sur lui deux morceaux de drap attachés à deux rubans [9], et qui a été quelquefois dans une province qu'on appelle *la Galice* [10] ! Sans cela un pauvre diable est bien embarrassé. [50]

● **Le Pape** (*Lettre* **29**)

Une vieille idole qu'on encense par habitude (l. 1). Il faut sans doute voir, dans cette formule d'une vigoureuse impertinence, moins d'anticléricalisme que de gallicanisme. On peut lire, dans la *Gazette de la Régence* du 5 février 1717 :

Le pape ayant menacé des foudres du Vatican des prélats opposants et la Sorbonne, les cardinaux de La Trémoille et Pamphilio lui représentèrent qu'elles n'étaient plus un épouvantail en France que pour les âmes timorées, qui y sont en très petit nombre.

① Par des comparaisons, des rapprochements, montrer que le ton mordant de cette lettre annonce Voltaire (cf. p. 47).

---

1. Les théologiens appartenaient surtout au clergé régulier. Voir p. 48, notes 1 et 2. — 2. Discuter. — 3. Aussitôt. — 4. Doctrine condamnée par l'Église catholique. — 5. Explication par les théologiens des sens divers d'une proposition. — 6. Obéissant fidèlement à la doctrine de l'Église. — 7. Les moines inquisiteurs. — 8. Un chapelet. — 9. Un scapulaire. — 10. A Saint-Jacques-de-Compostelle.

Quand il jurerait comme un païen qu'il est orthodoxe,
on pourrait bien ne pas demeurer d'accord des qualités
et le brûler comme hérétique : il aurait beau donner sa
distinction, point de distinction! Il serait en cendres avant
55 que l'on eût seulement pensé à l'écouter.

Les autres juges présument qu'un accusé est inno-
cent; ceux-ci le présument toujours coupable : dans le
doute, ils tiennent pour règle de se déterminer du côté
de la rigueur; apparemment parce qu'ils croient les
60 hommes mauvais. Mais, d'un autre côté, ils en ont si
bonne opinion, qu'ils ne les jugent jamais capables de
mentir : car ils reçoivent le témoignage des ennemis
capitaux, des femmes de mauvaise vie, de ceux qui
exercent une profession infâme. Ils font dans leur sentence
65 un petit compliment à ceux qui sont revêtus d'une chemise
de soufre, et leur disent qu'ils sont bien fâchés de les voir
si mal habillés, qu'ils sont doux, qu'ils abhorrent le sang et
sont au désespoir de les avoir condamnés. Mais, pour se
consoler, ils confisquent tous les biens de ces malheureux
70 à leur profit.

Heureuse la terre qui est habitée par les enfants des
Prophètes! Ces tristes spectacles y sont inconnus[1]. La
sainte religion que les Anges y ont apportée se défend par
sa vérité même : elle n'a point besoin de ces moyens vio-
75 lents pour se maintenir.

De Paris, le 4 de la lune de Chalval[2], 1712.

LETTRE 30

*RICA AU MÊME
A SMYRNE*

Les habitants de Paris sont d'une curiosité qui va jusqu'à l'extravagance. Lorsque j'arrivai, je fus regardé
comme si j'avais été envoyé du Ciel : vieillards, hommes,
femmes, enfants, tous voulaient me voir. Si je sortais,
5 tout le monde se mettait aux fenêtres; si j'étais aux Tuile-

---

1. « Les Persans sont les plus tolérants de tous les mahométans » (Note de Montesquieu).
— 2. Décembre.

ries [1], je voyais aussitôt un cercle se former autour de moi :
les femmes mêmes faisaient un arc-en-ciel, nuancé de mille
couleurs [2], qui m'entourait ; si j'étais aux spectacles, je trouvais d'abord [3] cent lorgnettes [4] dressées contre [5] ma figure :
enfin jamais homme n'a tant été vu que moi. Je souriais   10
quelquefois d'entendre des gens qui n'étaient presque
jamais sortis de leur chambre, qui disaient entre eux : « Il
faut avouer qu'il a l'air bien persan. » Chose admirable!
je trouvais de mes portraits partout ; je me voyais multi-
plié dans toutes les boutiques, sur toutes les cheminées :   15
tant on craignait de ne m'avoir pas assez vu.

Tant d'honneurs ne laissent pas [6] d'être à charge : je
ne me croyais pas un homme si curieux et si rare ; et,
quoique j'aie très bonne opinion de moi, je ne me serais
jamais imaginé que je dusse troubler le repos d'une grande   20
ville où je n'étais point connu. Cela me fit résoudre à
quitter l'habit persan et à en endosser un à l'européenne,
pour voir s'il resterait encore dans ma physionomie quelque
chose d'admirable [7]. Cet essai me fit connaître ce que je
valais réellement : libre de [8] tous les ornements étrangers, je   25

● **La satire d'un ridicule parisien** (*Lettre* **30**)

Montesquieu critique ici un simple travers : l'engouement des Parisiens pour tout ce qui sort de l'ordinaire. Une succession de scènes
rapides et pittoresques vérifie l'affirmation du début et justifie
les conclusions finales :
— arrivée à Paris;
— sortie dans les rues;
— soirée au théâtre;
— visite dans les salons;
— coup d'œil aux devantures des boutiques.

① Ne peut-on voir, dans le second paragraphe, comme la démonstration d'un théorème?

② Quelle moralité générale peut-on tirer de l'expérience que fait
alors Rica?

③ Quelles expressions illustrent la vivacité spirituelle et l'originalité hardie du style?

④ Mettre en relief l'imprévu du trait final.

---

1. Promenade très à la mode. — 2. Par les *couleurs* vives et variées de leur toilette. —
3. Aussitôt. — 4. Petites lunettes d'approche très à la mode au XVIIIe siècle. — 5. Dirigées
vers. — 6. *Ne* manquent *pas*. — 7. Suscitant l'étonnement. — 8. Exempt de.

me vis apprécié au plus juste. J'eus sujet de me plaindre
de mon tailleur, qui m'avait fait perdre en un instant
l'attention et l'estime publique : car j'entrai tout à coup
dans un néant affreux. Je demeurais quelquefois une heure
30 dans une compagnie sans qu'on m'eût regardé, et qu'on
m'eût mis en occasion [1] d'ouvrir la bouche. Mais, si quelqu'un, par hasard, apprenait à la compagnie que j'étais
Persan, j'entendais aussitôt autour de moi un bourdonne-
ment : « Ah! ah! Monsieur est Persan? C'est une chose
35 bien extraordinaire! Comment peut-on être Persan? »

De Paris, le 6 de la lune de Chalval [2], 1712.

*Rhédi parle de son séjour à Venise où il « ne néglige pas
même les superstitions européennes » (31). Rica raconte sa
visite à l'hospice des Quinze-Vingts, réservé aux aveugles
(Lettre 32).*

LETTRE 33

USBEK A RHÉDI
A VENISE

Le vin est si cher à Paris, par les impôts que l'on y met,
qu'il semble qu'on ait entrepris d'y faire exécuter les
préceptes du divin Alcoran [3] qui défend d'en boire.
Lorsque je pense aux funestes effets de cette liqueur,
5 je ne puis m'empêcher de la regarder comme le présent le plus redoutable que la Nature ait fait aux hommes.
Si quelque chose a flétri [4] la vie et la réputation de nos
monarques [5], ç'a été leur intempérance [6] : c'est la source la
plus empoisonnée de leurs injustices et de leurs cruautés.
10 Je le dirai, à la honte des hommes : la Loi interdit
à nos princes l'usage du vin, et ils en boivent avec un
excès qui les dégrade de l'humanité même; cet usage
au contraire, est permis aux princes chrétiens, et on ne

---

1. Donné l'occasion. — 2. Décembre. — 3. Voir p. 26, note 6. — 4. Déshonoré. —
5. Les shahs, selon les récits de voyageurs, perdaient toute mesure quand ils étaient ivres
— 6. Dans l'usage des boissons.

remarque pas qu'il leur fasse faire aucune faute. L'esprit
humain est la contradiction même : dans une débauche [15]
licencieuse [1], on se révolte avec fureur contre les préceptes,
et la Loi, faite pour nous rendre plus justes, ne sert souvent
qu'à nous rendre plus coupables.

Mais, quand je désapprouve l'usage de cette liqueur
qui fait perdre la raison, je ne condamne pas de même [20]
ces boissons qui l'égaient [2]. C'est la sagesse des Orientaux
de chercher des remèdes contre la tristesse avec autant
de soin que contre les maladies les plus dangereuses.
Lorsqu'il arrive quelque malheur à un Européen, il
n'a d'autre ressource que la lecture d'un philosophe [25]
qu'on appelle *Sénèque* [3] ; mais les Asiatiques, plus sensés
qu'eux, et meilleurs physiciens en cela, prennent des
breuvages capables de rendre l'homme gai et de charmer le
souvenir de ses peines.

Il n'y a rien de si affligeant que les consolations tirées [30]
de la nécessité du mal, de l'inutilité des remèdes, de la
fatalité du destin, de l'ordre de la Providence, et du malheur
de la condition humaine. C'est se moquer de vouloir
adoucir un mal par la considération que l'on est né misérable. Il vaut bien mieux enlever l'esprit hors de ses [35]
réflexions, et traiter l'homme comme sensible, au lieu de
le traiter comme raisonnable.

L'âme, unie avec le corps, en est sans cesse tyrannisée.

● **L'intempérance** (*Lettre* **33**)

Dans *l'Esprit des lois* (XIV, 10), Montesquieu explique que la loi
de Mahomet interdisant l'usage du vin est une loi d'Arabie : dans
les pays chauds, le sang a besoin d'eau pour le « rafraîchir » et
non de vin qui l' « échaufferait ». Le législateur sera donc avisé de
conformer ses lois au tempérament du peuple, déterminé par
le climat.

① Montrer que les consolations envisagées par Montesquieu ont,
à son époque, une résonance assez libertine. En quoi certaines formules de l'avant-dernier paragraphe pourraient-elles viser les
idées d'un Pascal ?

② Dégager le sensualisme de Montesquieu dans son développement sur les rapports entre l'âme et le corps.

---

1. Déréglée. — 2. Le café, et peut-être une boisson à base d'opium. — 3. Allusion aux
onsolations de Sénèque.

Si le mouvement du sang est trop lent; si les esprits [1] ne
40 sont pas assez épurés; s'ils ne sont pas en quantité suffi-
sante : nous tombons dans l'accablement et dans la tristesse. Mais, si nous prenons des breuvages qui puissent
changer cette disposition de notre corps, notre âme
redevient capable de recevoir des impressions qui l'égaient,
45 et elle sent un plaisir secret de voir sa machine reprendre,
pour ainsi dire, son mouvement et sa vie.

De Paris, le 25 de la lune de Zilcadé [2], 1713.

LETTRE 34

USBEK [3] A IBBEN
A SMYRNE

Les femmes de Perse sont plus belles que celles de
France; mais celles de France sont plus jolies. Il est
difficile de ne point aimer les premières, et de ne se point
plaire avec les secondes : les unes sont plus tendres et plus
5   modestes; les autres sont plus gaies et plus enjouées.

Ce qui rend le sang si beau en Perse, c'est la vie réglée
que les femmes y mènent : elles ne jouent ni ne veillent;
elles ne boivent point de vin et ne s'exposent presque
jamais à l'air. Il faut avouer que le sérail est plutôt fait
10 pour la santé que pour les plaisirs : c'est une vie unie, qui
ne pique [4] point; tout s'y ressent de la subordination et du
devoir; les plaisirs mêmes y sont graves, et les joies, sévères;
et on ne les goûte presque jamais que comme des marques
d'autorité et de dépendance.

15   Les hommes mêmes n'ont pas en Perse la gaieté qu'ont
les Français : on ne leur voit point cette liberté d'esprit
et cet air content que je trouve ici dans tous les états [5] et
dans toutes les conditions [6].

---

1. « Petits corps légers, chauds et invisibles, qui portent la vie et le sentiment » (*Dictionnaire de l'Académie*, 1694). — 2. Janvier. — 3. Lettre attribuée par deux éditions à Rica,
ce qui paraîtrait plus vraisemblable, car Rica n'a pas de harem et le ton correspond à son
tour d'esprit. — 4. Ne fait naître aucun sentiment passionné. — 5. Les classes sociales
(cf. *Tiers-État*). — 6. Situations personnelles.

C'est bien pis en Turquie, où l'on pourrait trouver
des familles où, de père en fils, personne n'a ri depuis [20]
la fondation de la Monarchie.

Cette gravité des Asiatiques vient du peu de commerce
qu'il y a entre eux : ils ne se voient que lorsqu'ils y sont
forcés par la cérémonie[1]. L'amitié, ce doux engagement
du cœur, qui fait ici la douceur de la vie, leur est presque [25]
inconnue. Ils se retirent dans leurs maisons, où ils trouvent
toujours une compagnie qui les attend; de manière que
chaque famille est, pour ainsi dire, isolée.

Un jour que je m'entretenais là-dessus avec un homme
de ce pays-ci, il me dit : « Ce qui me choque le plus de [30]
vos mœurs, c'est que vous êtes obligés de vivre avec des
esclaves, dont le cœur et l'esprit se sentent toujours de la
bassesse de leur condition. Ces gens lâches affaiblissent
en vous les sentiments de la vertu que l'on tient de la
Nature, et ils les ruinent[2] depuis l'enfance, qu'ils[3] vous [35]
obsèdent. Car, enfin, défaites-vous des préjugés. Que
peut-on attendre de l'éducation qu'on reçoit d'un misérable[4] qui fait consister son honneur à garder les femmes
d'un autre et s'enorgueillit du plus vil emploi qui soit
parmi les humains; qui est méprisable par sa fidélité même [40]
(qui est la seule de ses vertus), parce qu'il y est porté
par envie, par jalousie et par désespoir; qui, brûlant
de se venger des deux sexes dont il est le rebut, consent
à être tyrannisé par le plus fort, pourvu qu'il puisse désoler le plus faible; qui, tirant de son imperfection, de sa [45]
laideur et de sa difformité, tout l'éclat de sa condition,
n'est estimé que parce qu'il est indigne de l'être; qui, enfin,
rivé pour jamais à la porte où il est attaché, plus dur que
les gonds et les verrous qui la tiennent, se vante de cinquante ans de vie dans ce poste indigne, où, chargé de la [50]
jalousie de son maître, il a exercé toute sa bassesse? »

De Paris, le 14 de la lune de Zilhagé[5], 1713.

---

1. Détail inexact. Les Persans se faisaient beaucoup de visites. — 2. Montesquieu
avait d'abord écrit *minent*, puis il corrigea en recherchant la précision et la vigueur. —
3. Si bien qu'ils. — 4. Un eunuque. — 5. Février.

LETTRE 35

USBEK A GEMCHID, SON COUSIN,
DERVIS[1] DU BRILLANT MONASTÈRE DE TAURIS

Que penses-tu des Chrétiens, sublime dervis? Crois-tu qu'au jour du Jugement ils seront comme les infidèles Turcs, qui serviront d'ânes aux Juifs et les mèneront au grand trot en Enfer[2]? Je sais bien qu'ils n'iront point
5 dans le séjour des Prophètes, et que le grand Hali[3] n'est point venu pour eux. Mais, parce qu'ils n'ont pas été assez heureux pour trouver des mosquées dans leur pays, crois-tu qu'ils soient condamnés à des châtiments éternels, et que Dieu les punisse pour n'avoir pas pratiqué une reli-
10 gion qu'il ne leur a pas fait connaître? Je puis te le dire : j'ai souvent examiné ces Chrétiens; je les ai interrogés pour voir s'ils avaient quelque idée du grand Hali, qui était le plus beau de tous les hommes : j'ai trouvé qu'ils n'en avaient jamais ouï parler.
15 Ils ne ressemblent point à ces infidèles que nos saints prophètes faisaient passer au fil de l'épée, parce qu'ils refusaient de croire aux miracles du Ciel : ils sont plutôt comme ces malheureux qui vivaient dans les ténèbres de l'idolâtrie avant que la divine lumière vînt éclairer le visage
20 de notre grand Prophète.
D'ailleurs, si l'on examine de près leur religion, on y trouvera comme une semence de nos dogmes. J'ai souvent admiré les secrets de la Providence, qui semble les avoir voulu préparer par là à la conversion générale.
25 J'ai ouï parler d'un livre de leurs docteurs, intitulé *la Polygamie triomphante*[4], dans lequel il est prouvé que la polygamie est ordonnée aux Chrétiens. Leur baptême est l'image de nos ablutions légales, et les Chrétiens n'errent que dans l'efficacité qu'ils donnent à cette première ablu-
30 tion, qu'ils croient devoir suffire pour toutes les autres.

---

1. Voir p. 48, note 1. — 2. Croyance orientale. — 3. Voir p. 47, note 4. — 4. Œuvre du luthérien Leiser.

Leurs prêtres et leurs moines prient comme nous sept [1]
fois le jour. Ils espèrent de jouir d'un paradis où ils goû-
teront mille délices par le moyen de la résurrection des
corps. Ils ont, comme nous, des jeûnes marqués, des
mortifications avec lesquelles ils espèrent fléchir la misé-   35
ricorde divine. Ils rendent un culte aux bons Anges et se
méfient des mauvais. Ils ont une sainte crédulité pour les
miracles que Dieu opère par le ministère de ses serviteurs.
Ils reconnaissent, comme nous, l'insuffisance de leurs
mérites et le besoin qu'ils ont d'un intercesseur [2] auprès de   40
Dieu. Je vois partout le Mahométisme, quoique je n'y
trouve point Mahomet. On a beau faire, la Vérité s'échappe
et perce toujours les ténèbres qui l'environnent. Il viendra
un jour où l'Éternel ne verra sur la terre que des vrais
Croyants : le temps, qui consume tout, détruira les erreurs   45
mêmes ; tous les hommes seront étonnés de se voir sous le
même étendard ; tout, jusques à la Loi, sera consommé [3] :
les divins exemplaires seront enlevés de la terre et portés
dans les célestes Archives [4].

De Paris, le 20 de la lune de Zilhagé [5], *1713.*

LETTRE 36

USBEK A RHÉDI
A VENISE

Le café est très en usage à Paris : il y a un grand nombre
de maisons publiques où on le distribue. Dans quelques-
unes de ces maisons, on dit des nouvelles [6] ; dans d'autres,

---

● **Les religions comparées** (*Lettre* 35)

① Montrer qu'Usbek mène une véritable enquête en Occident,
préoccupé de retrouver le fonds humain que chrétiens et musulmans
ont en commun.

② Quelle leçon de relativisme en matière de religion offre cette
lettre ?

---

1. Cinq fois en réalité chez les mahométans. — 2. De quelqu'un qui intervienne. —
. Atteindra la perfection. — 4. Selon la religion persane, le dernier iman, revenant sur
.rre, convertira tous les infidèles et gouvernera sans opposition jusqu'à la fin du monde.
– 5. Février. — 6. Voir la lettre 130, p. 152.

on joue aux échecs [1]. Il y en a une [2], où l'on apprête le
café de telle manière qu'il donne de l'esprit à ceux qui en
prennent : au moins, de tous ceux qui en sortent, il n'y a
personne qui ne croie qu'il en a quatre fois plus que lorsqu'il y est entré.

Mais ce qui me choque de ces beaux esprits, c'est qu'ils
ne se rendent pas utiles à leur patrie, et qu'ils amusent
leurs talents à des choses puériles. Par exemple, lorsque
j'arrivai à Paris, je les trouvai échauffés sur une dispute,
la plus mince qu'il se puisse imaginer : il s'agissait de la
réputation d'un vieux poète grec [3] dont, depuis deux mille
ans, on ignore la patrie, aussi bien que le temps de sa
mort. Les deux partis avouaient que c'était un poète
excellent; il n'était question que du plus ou du moins
de mérite qu'il fallait lui attribuer. Chacun en voulait
donner le taux; mais, parmi ces distributeurs de réputation, les uns faisaient meilleur poids que les autres. Voilà
la querelle! Elle était bien vive : car on se disait cordiale-
ment, de part et d'autre, des injures si grossières, on faisait
des plaisanteries si amères, que je n'admirais pas moins [4] la
manière de disputer, que le sujet de la dispute. « Si quelqu'un, disais-je en moi-même, était assez étourdi pour aller
devant un de ces défenseurs du poète grec attaquer la
réputation de quelque honnête citoyen, il ne serait pas
mal relevé [5], et je crois que ce zèle si délicat sur la réputation des morts s'embraserait bien pour défendre celle des
vivants! — Mais, quoi qu'il en soit, ajoutais-je, Dieu me
garde de m'attirer jamais l'inimitié des censeurs de ce
poète, que le séjour de deux mille ans dans le tombeau n'a
pu garantir d'une haine si implacable! Ils frappent à présent des coups en l'air. Mais que serait-ce si leur fureur était
animée par la présence d'un ennemi? »

Ceux dont je te viens de parler disputent en langue
vulgaire, et il faut les distinguer d'une autre sorte de
disputeurs qui se servent d'une langue barbare [6] qui
semble ajouter quelque chose à la fureur et à l'opiniâ-
treté des combattants. Il y a des quartiers [7] où l'on voit
comme une mêlée noire et épaisse de ces sortes de gens;

---

1. Jeu originaire de Perse, par corruption du nom *shah*. — 2. Le Café Procope. —
3. Homère. — 4. Je voyais avec autant d'étonnement. — 5. Il serait vivement contredi[t]
— 6. Le latin scolastique, encore utilisé dans les discussions théologiques. — 7. L[e]
Quartier Latin, autour de la Sorbonne.

ils se nourrissent de distinctions [1]; ils vivent de raisonnements et de fausses conséquences [2]. Ce métier, où l'on
devrait mourir de faim, ne laisse pas de rendre [3] : on a vu
une nation entière, chassée de son pays, traverser les mers   45
pour s'établir en France, n'emportant avec elle, pour parer
aux nécessités de la vie, qu'un redoutable talent pour la
dispute [4].

Adieu.

De Paris, le dernier de la lune de Zilhagé [5], 1713.

● **Les cafés,** dont La Bruyère ne parlait pas, étaient à la mode
lors des premiers voyages de Montesquieu à Paris :
Les honnêtes gens s'y réunissent, autant pour le plaisir de la conver-
sation et pour y apprendre des nouvelles que pour y boire de cette
boisson (Savary des Brulons, *Dictionnaire du commerce,* 1723).
Les plus célèbres des cafés littéraires sont : le Procope, fondé
par un Florentin en 1695, en face de la Comédie-Française (s'y
retrouvaient Fontenelle, Duclos, J.-B. Rousseau, Dumarsais,
parfois La Motte et Maupertuis; plus tard, Voltaire, Diderot et
Marmontel le fréquenteront); le Café Gradot, quai de l'École;
et, par la suite (1718), le Café de la Régence, place du Palais-
Royal, rendez-vous des joueurs d'échecs et du neveu de Rameau.
Partisans et adversaires des pièces nouvelles s'affrontaient à grand
bruit au Procope.

● **La querelle d'Homère**
La première phase de la Querelle des Anciens et des Modernes s'était
achevée avec la réconciliation entre Perrault et Boileau. Mais,
en 1713, la composition par Houdart de la Motte d'une *Iliade* en
vers, retouchée d'après une excellente traduction en prose de
Madame Dacier, ranime violemment le conflit : on accuse Houdart
d'avoir abrégé l'*Iliade* et corrigé Homère. Le débat suscite de
nombreux ouvrages de critique.

① Montrer que la *dispute* est ramenée aux proportions les plus
futiles et que Montesquieu n'y a pas vu ce qu'elle était, une mani-
festation de l'esprit critique et de la liberté de pensée.

② En quoi ce texte est-il un document qui nous renseigne sur
les tendances de Montesquieu?

③ Rapprocher cette lettre des maximes soutenues alors par
l'abbé de Saint-Pierre, qui subordonnait l'activité des écrivains à
leur utilité sociale.

④ Montrer le contraste entre le ton des deux premiers paragraphes
et la violence du dernier alinéa.

---

1. Voir p. 51, note 5. — 2. Déductions contraires au bon sens. — 3. Rapporter de
l'argent. — 4. Les prêtres catholiques irlandais, réfugiés en France après la mort de
Jacques II (1701). — 5. Février.

LETTRE 37

USBEK A IBBEN
A SMYRNE

Le roi de France est vieux [1]. Nous n'avons point d'exemple dans nos histoires d'un monarque qui ait si longtemps régné [2]. On dit qu'il possède à un très haut degré le talent de se faire obéir : il gouverne avec le même génie
5   sa famille, sa cour, son État. On lui a souvent entendu dire que, de tous les gouvernements du Monde, celui des Turcs ou celui de notre auguste sultan [3] lui plairait le mieux, tant il fait cas de la politique orientale.

J'ai étudié son caractère, et j'y ai trouvé des contra-
10   dictions qu'il m'est impossible de résoudre. Par exemple : il a un ministre qui n'a que dix-huit ans [4], et une maîtresse qui en a quatre-vingts [5]; il aime sa religion, et il ne peut souffrir ceux qui disent [6] qu'il la faut observer à la rigueur [7]; quoiqu'il fuie le tumulte des villes [8], et qu'il se
15   communique peu, il n'est occupé, depuis le matin jusques au soir, qu'à faire parler de lui; il aime les trophées et les victoires, mais il craint autant de voir un bon général à la tête de ses troupes [9], qu'il aurait sujet de le craindre à la tête d'une armée ennemie. Il n'est, je crois, jamais arrivé
20   qu'à lui d'être, en même temps, comblé de plus de richesse qu'un prince n'en saurait espérer, et accablé d'une pauvreté qu'un particulier ne pourrait soutenir.

Il aime à gratifier [10] ceux qui le servent; mais il paye aussi libéralement les assiduités ou plutôt l'oisiveté de
25   ses courtisans, que les campagnes laborieuses de ses capitaines. Souvent il préfère un homme qui le déshabille [11], ou qui lui donne la serviette lorsqu'il se met à table, à un autre qui lui prend des villes ou lui gagne des batailles. Il ne croit pas que la grandeur souveraine doive être dans
30   la distribution des grâces, et, sans examiner si celui qu'il

---

1. Louis XIV avait soixante-quinze ans en 1713. — 2. Depuis soixante-dix ans. — 3. C'est-à-dire le despotisme. — 4. Le marquis de Cany, fils de Chamillart, fut secrétaire d'État à dix-huit ans, en 1708. — 5. Madame de Maintenon avait soixante-dix-huit ans en 1713. — 6. Les jansénistes. — 7. Rigoureusement. — 8. Louis XIV ne séjournait que rarement à Paris. — 9. Allusion aux disgrâces de Catinat et de Villars. — 10. Récompenser par des cadeaux — 11. Allusion à l'étiquette établie par Louis XIV, au « petit coucher » en particulier.

« Je n'ai pas fait cent pas, que je suis plus brisé que si j'avais fait cent lieues ».
(Lettre 24)

comble de biens est homme de mérite, il croit que son choix
va le rendre tel : aussi lui a-t-on vu donner une petite pen-
sion à un homme qui avait fui deux lieues, et un beau gouvernement à un autre qui en avait fui quatre.

35　　Il est magnifique[1], surtout dans ses bâtiments : il y
a plus de statues dans les jardins de son palais que de
citoyens dans une grande ville. Sa garde est aussi forte[2]
que celle du prince devant qui les trônes se renversent[3].
Ses armées sont aussi nombreuses; ses ressources, aussi
40　grandes; et ses finances, aussi inépuisables.

De Paris, le 7 de la lune de Maharram[4], 1713.

*Rica prend parti dans la « Querelle des dames » qui bat
alors son plein, et il argumente sur les raisons pour ou contre
la liberté des dames, pour ou contre la soumission de la femme
à l'homme selon la loi naturelle (L. **38**). Ibbi, serviteur
d'Usbek, rappelle à un Juif prosélyte mahométan les miracles qui ont accompagné la naissance de Mahomet (L. **39**).*

● **Louis XIV** (*Lettre* **37**)

Il n'était ni aimé ni admiré de Montesquieu qui l'a jugé très
sévèrement dans ses notes :
*Il semblait n'avoir de puissance que pour l'ostentation : tout était
fanfaron jusqu'à sa politique [...]. Il avait une ambition si fausse
qu'il se ruinait à prendre des places qu'il savait qu'il serait obligé de
rendre* (Spicilège, p. 369).
*Un homme qui ne pouvait souffrir des talents supérieurs, qui donnait
le commandement à des gens décrépits et le ministère à des jeunes
gens* (Spicilège, p. 529).
*Louis XIV craignit toute sa vie les gens d'esprit. Il avait dessein
de faire donner la lieutenance de ses gardes à M. de Catinat. M. de la
Feuillade craignit un subalterne de si grand mérite et ne trouva
d'autre moyen, pour l'exclure, que d'en dire au roi tout le bien du
monde* (Spicilège, p.408).

① Montrer que ces dures appréciations apparaissent déjà sous la
plume d'Usbek.

② Comparer ce portrait avec celui que trace Voltaire dans
le Siècle de Louis XIV. Les différences de vues ne peuvent-elles
s'expliquer par l'hostilité de Montesquieu à l'absolutisme et par
l'idéal voltairien du despotisme éclairé?

③ Les contradictions relevées par Usbek se présentent avec leur
balancement régulier dans les phrases successives. Montrer la
variété des procédés stylistiques utilisés pour les mettre en relief.

---

1. Prodigue. — 2. Dix mille hommes. — 3. Le shah de Perse. — 4. Mars.

LETTRE 40

USBEK A IBBEN
A SMYRNE

Dès qu'un grand est mort, on s'assemble dans une mosquée [1], et l'on fait une oraison funèbre, qui est un discours à sa louange, avec lequel on serait bien embarrassé de décider au juste [2] du mérite du défunt.

Je voudrais bannir les pompes [3] funèbres : il faut pleurer les hommes à leur naissance, et non pas à leur mort. A quoi servent les cérémonies, et tout l'attirail [4] lugubre qu'on fait paraître à un mourant dans ses derniers moments, les larmes mêmes de sa famille et la douleur de ses amis, qu'à lui exagérer la perte qu'il va faire ?

Nous sommes si aveugles que nous ne savons quand nous devons nous affliger ou nous réjouir : nous n'avons presque jamais que de fausses tristesses ou de fausses joies.

Quand je vois le Mogol [5] qui, toutes les années, va sottement se mettre dans une balance et se faire peser comme un bœuf [6] ; quand je vois les peuples se réjouir de ce que ce prince est devenu plus matériel [7], c'est-à-dire moins capable de les gouverner : j'ai pitié, Ibben, de l'extravagance humaine.

De Paris, le 20 de la lune de Rhegeb [8], *1713.*

Usbek règle en faveur d'un serviteur un conflit qui opposait ce dernier au grand eunuque noir (Lettres **41-43**).

LETTRE 44

USBEK A RHÉDI
A VENISE

Il y a en France trois sortes d'états [9] : l'Église, l'Épée et la Robe [10]. Chacun a un mépris souverain pour les deux autres : tel, par exemple, que l'on devrait mépriser parce qu'il est un sot, ne l'est souvent que parce qu'il est homme de robe.

Il n'y a pas jusqu'aux plus vils artisans qui ne disputent sur l'excellence [11] de l'art qu'ils ont choisi : chacun s'élève

---

1. Une église. — 2. D'apprécier de façon précise. — 3. Cérémonies. — 4. La grande quantité de choses inutiles (terme familier). — 5. Voir p. 98, note 1. — 6. Pratique conservée de nos jours pour le Khan, chef suprême des Ismaéliens. — 7. Gros et lourd. — 8. Septembre. — 9. Classes sociales. — 10. Les Magistrats. — 11. Supériorité absolue.

au-dessus de celui qui est d'une profession différente,
à proportion de l'idée qu'il s'est faite de la supériorité
de la sienne.

Les hommes ressemblent tous, plus ou moins, à cette
femme de la province d'Érivan [1] qui, ayant reçu quelque
grâce d'un de nos monarques, lui souhaita mille fois,
dans les bénédictions qu'elle lui donna, que le Ciel le fît
gouverneur d'Érivan.

J'ai lu, dans une relation [2], qu'un vaisseau français ayant
relâché à la côte de Guinée, quelques hommes de l'équipage
voulurent aller à terre acheter quelques moutons. On les
mena au roi, qui rendait la justice à ses sujets sous un arbre.
Il était sur son trône, c'est-à-dire sur un morceau de bois;
aussi fier que s'il eût été sur celui du Grand Mogol ; il avait
trois ou quatre gardes avec des piques de bois; un parasol
en forme de dais le couvrait de l'ardeur du soleil; tous ses
ornements et ceux de la reine, sa femme, consistaient en
leur peau noire et quelques bagues. Ce prince, plus vain [3]
encore que misérable, demanda à ces étrangers si on
parlait beaucoup de lui en France. Il croyait que son nom
devait être porté d'un pôle à l'autre; et, à la différence de ce
conquérant de qui on a dit qu'il avait fait taire toute la
Terre [4], il croyait, lui, qu'il devait faire parler tout l'Univers.

Quand le Khan [5] de Tartarie [6] a dîné, un héraut crie que
tous les princes de la Terre peuvent aller dîner, si bon leur
semble, et ce barbare, qui ne mange que du lait [7], qui n'a
pas de maison, qui ne vit que de brigandage, regarde tous
les rois du Monde comme ses esclaves et les insulte régulièrement deux fois par jour.

De Paris, le 28 de la lune de Rhegeb [8], *1713.*

*Rica présente à Usbek, sous la forme d'une énigme, la
peinture satirique d'un alchimiste* (Lettre **45**).

- **Lettre 44**
  ① Le ridicule attaqué par Montesquieu ne tient ni à la classe
  sociale, ni à la couleur de la peau, ni à l'origine géographique.
  De quel travers se moque-t-il?

1. Province d'Arménie, résidence des sofis de Perse à partir du XVIe siècle. — 2. Un
récit de voyage. — 3. Vaniteux. — 4. Alexandre le Grand, selon Quinte-Curce. —
5. Prince. — 6. Turkestan. — 7. Des laitages. — 8. Septembre.

LETTRE 46

USBEK A RHÉDI
A VENISE

Je vois ici des gens qui disputent [1] sans fin sur la religion; mais il me semble qu'ils combattent [2] en même temps
à qui l'observera le moins.

Non seulement ils ne sont pas meilleurs chrétiens,
mais même meilleurs citoyens, et c'est ce qui me touche :   5
car, dans quelque religion qu'on vive, l'observation des
lois, l'amour pour les hommes, la piété envers les parents,
sont toujours les premiers actes de religion.

En effet, le premier objet d'un homme religieux ne doit-il
pas être de plaire à la Divinité, qui a établi la religion qu'il   10
professe? Mais le moyen le plus sûr pour y parvenir est sans
doute d'observer les règles de la société et les devoirs
de l'humanité; car, en quelque religion qu'on vive, dès
qu'on en suppose une, il faut bien que l'on suppose [3] aussi

---

● **La tolérance** (*Lettre* **46**)

Le même idéal de tolérance, fondé sur la parenté des religions,
apparaît dans la *Lettre* **60** (non sélectionnée) :
*La religion juive est un vieux tronc qui a produit deux branches qui
ont couvert toute la Terre : je veux dire le Mahométisme et le Chris-
tianisme; ou plutôt c'est une mère qui a engendré deux filles, qui l'ont
accablée de mille plaies : car, en fait de religion, les plus proches
sont les plus grandes ennemies [...]. On s'est aperçu que le zèle pour
les progrès de la religion est différent de l'attachement qu'on doit avoir
pour elle, et que, pour l'aimer et l'observer, il n'est pas nécessaire de
haïr et de persécuter ceux qui ne l'observent pas.*

① Comment Montesquieu pose-t-il, dès le premier paragraphe, le
sujet du débat?

② Mettre en relief la diversité des styles adoptés par Montesquieu
pour développer son argumentation.

③ Rapprocher ce texte de la « Très humble Remontrance aux
Inquisiteurs d'Espagne et du Portugal » (*Esprit des lois*, XXV, 13).

④ A quels égards cette lettre annonce-t-elle *Zadig* (chapitre XII,
Le Souper) et le *Traité sur la tolérance* de Voltaire?

⑤ Montrer que l'idéal d'Usbek est une philosophie de bon sens.
La formule *en bon citoyen* (l. 58) ne semble-t-elle pas le fondement
d'une morale laïque?

---

1. Discutent. — 2. Rivalisent. — 3. Pose comme principe.

15 que Dieu aime les hommes, puisqu'il établit une religion
pour les rendre heureux; que, s'il aime les hommes, on est
assuré de lui plaire en les aimant aussi, c'est-à-dire en exer-
çant envers eux tous les devoirs de la charité et de l'humanité, et en ne violant point les lois sous lesquelles ils vivent.

20   Par là, on est bien plus sûr de plaire à Dieu qu'en
observant telle ou telle cérémonie : car les cérémonies
n'ont point un degré de bonté par elles-mêmes; elles
ne sont bonnes qu'avec égards[1] et dans la supposition
que Dieu les a commandées. Mais c'est la matière d'une
25 grande discussion; on peut facilement s'y tromper; car
il faut choisir les cérémonies d'une religion entre celles
de deux mille.

Un homme faisait tous les jours à Dieu cette prière :
« Seigneur, je n'entends[2] rien dans les disputes que l'on
30 fait sans cesse à votre sujet. Je voudrais vous servir selon
votre volonté; mais chaque homme que je consulte veut
que je vous serve à la sienne. Lorsque je veux vous faire
ma prière, je ne sais en quelle langue je dois vous parler.
Je ne sais pas non plus en quelle posture je dois me mettre :
35 l'un dit que je dois vous prier debout; l'autre veut que je
sois assis; l'autre exige que mon corps porte sur mes
genoux. Ce n'est pas tout : il y en a qui prétendent que je
dois me laver tous les matins avec de l'eau froide; d'autres
soutiennent que vous me regarderez avec horreur si je ne
40 me fais pas couper un petit morceau de chair. Il m'arriva
l'autre jour de manger un lapin dans un caravansérail[3].
Trois hommes qui étaient auprès de là me firent trembler :
ils me soutinrent tous trois que je vous avais grièvement
offensé; l'un[4], parce que cet animal était immonde;
45 l'autre[5], parce qu'il était étouffé; l'autre[6] enfin, parce
qu'il n'était pas poisson. Un Brahmane[7] qui passait par là,
et que je pris pour juge, me dit : « Ils ont tort : car
apparemment vous n'avez pas tué vous-même cet animal.
— Si fait, lui dis-je. — Ah! vous avez commis une action
50 abominable, et que Dieu ne vous pardonnera jamais, me
dit-il d'une voix sévère. Que savez-vous si l'âme de votre
père n'était pas passée dans cette bête[8]? » Toutes ces choses,

---

1. En tenant compte du fait. — 2. Comprends. — 3. En Orient, gîte pour les voyageurs
qui y passent la nuit avec leurs bêtes. — 4. Un Juif. — 5. Un Turc. — 6. Un
Arménien. — 7. Prêtre hindou. — 8. Allusion à la métempsycose.

Seigneur, me jettent dans un embarras inconcevable :
je ne puis remuer la tête que je ne sois menacé de vous
offenser; cependant je voudrais vous plaire et employer
à cela la vie que je tiens de vous. Je ne sais si je me trompe;
mais je crois que le meilleur moyen pour y parvenir est de
vivre en bon citoyen dans la société où vous m'avez fait
naître, et en bon père dans la famille que vous m'avez
donnée. »

De Paris, le 8 de la lune de Chahban [1], *1713.*

Zachi raconte à Usbek un voyage des femmes du sérail
(Lettre **47**).

LETTRE 48

USBEK A RHÉDI
A VENISE

Ceux qui aiment à s'instruire ne sont jamais oisifs :
quoique je ne sois chargé d'aucune affaire importante,
je suis cependant dans une occupation continuelle. Je
passe ma vie à examiner [2]; j'écris le soir ce que j'ai remarqué, ce que j'ai vu, ce que j'ai entendu dans la journée. Tout
m'intéresse, tout m'étonne : je suis comme un enfant, dont
les organes encore tendres sont vivement frappés par les
moindres objets [3] [...].

J'ai passé quelques jours dans une maison de campagne auprès de Paris, chez un homme de considération [4],
qui est ravi d'avoir de la compagnie chez lui. Il a une femme
fort aimable, et qui joint à une grande modestie une gaieté
que la vie retirée ôte toujours à nos dames de Perse.

Étranger que j'étais, je n'avais rien de mieux à faire
que d'étudier cette foule de gens qui y abordait sans cesse,
et qui me présentait toujours quelque chose de nouveau.
Je remarquai d'abord [5] un homme dont la simplicité me
plut; je m'attachai à lui, il s'attacha à moi; de sorte que
nous nous trouvions toujours l'un auprès de l'autre.

---

1. Octobre. — 2. Observer et réfléchir. — 3. Tout ce qui s'offre à la vue, êtres et
choses. — 4. Considéré pour sa situation. — 5. Immédiatement.

[20]   Un jour que, dans un grand cercle [1], nous nous entre-
tenions en particulier, laissant les conversations générales
à elles-mêmes : « Vous trouverez peut-être en moi, lui dis-je,
plus de curiosité que de politesse; mais je vous supplie
d'agréer [2] que je vous fasse quelques questions : car je
[25] m'ennuie de n'être au fait de rien et de vivre avec des gens
que je ne saurais démêler [3]. Mon esprit travaille depuis
deux jours : il n'y a pas un seul de ces hommes qui ne m'a
donné deux cents fois la torture, et je ne les devinerais de
mille ans : ils me sont plus invisibles que les femmes de notre
[30] grand monarque. — Vous n'avez qu'à dire, me répondit-il, je vous instruirai de tout ce que vous souhaiterez;
d'autant mieux que je vous crois homme discret, et que vous
n'abuserez pas de ma confiance.

     « Qui est cet homme, lui dis-je, qui nous a tant parlé
[35] des repas qu'il a donnés aux grands, qui est si familier
avec vos ducs, et qui parle si souvent à vos ministres,
qu'on me dit d'être d'un accès si difficile? Il faut bien que
ce soit un homme de qualité; mais il a la physionomie si
basse [4] qu'il ne fait guère honneur aux gens de qualité, et,
[40] d'ailleurs, je ne lui trouve point d'éducation. Je suis
étranger; mais il me semble qu'il y a en général une certaine politesse commune à toutes les nations; je ne lui
trouve point de celle-là. Est-ce que vos gens de qualité
sont plus mal élevés que les autres? — Cet homme, me
[45] répondit-il en riant, est un fermier [5]. Il est autant au-dessus
des autres par ses richesses, qu'il est au-dessous de tout
le monde par sa naissance. Il aurait la meilleure table de
Paris, s'il pouvait se résoudre à ne manger jamais chez lui.
Il est bien impertinent [6], comme vous le voyez; mais il
[50] excelle par son cuisinier [7]. Aussi n'en [8] est-il pas ingrat :
car vous avez entendu qu'il l'a loué tout aujourd'hui. »

     « Et ce gros homme vêtu de noir, lui dis-je, que cette
dame a fait placer auprès d'elle, comment a-t-il un habit
si lugubre avec un air si gai et un teint si fleuri? Il sourit
[55] gracieusement dès qu'on lui parle; sa parure est plus

---

1. Une réunion mondaine. — 2. De permettre. — 3. Dont je ne peux deviner ni la
situation ni le caractère. — 4. Dépourvue de distinction. — 5. Fermier général : voir
p. 71. — 6. Mal élevé. — 7. Montesquieu reprend un « mot » de Célimène dans
Le Misanthrope (v. 625-626). — 8. A son égard.

modeste, mais plus arrangée que celle de vos femmes.
— C'est, me répondit-il, un prédicateur, et, qui pis est, un
directeur[1]. Tel que vous le voyez, il en sait plus que les
maris. Il connaît le faible des femmes; elles savent aussi
qu'il a le sien. — Comment? dis-je. Il parle toujours de   60
quelque chose qu'il appelle *la grâce*[2]. — Non pas toujours,
me répondit-il. A l'oreille d'une jolie femme il parle encore
plus volontiers de sa chute[3]. Il foudroie[4] en public; mais il
est doux comme un agneau en particulier. — Il me semble,
dis-je, qu'on le distingue beaucoup, et qu'on a de grands   65
égards pour lui. — Comment? si on le distingue? C'est
un homme nécessaire, il fait la douceur de la vie retirée :
petits conseils, soins officieux[5], visites marquées[6] ;

- **Le fermier général**

  Les fermiers généraux, ou partisans, sont « des financiers qui font
  partis [traités] avec le roi et prennent à ferme le recouvrement
  des impôts » (*Dict.* de Furetière, 1690). Montesquieu cherche à
  souligner le contraste entre l'importance sociale de l'argent, qui
  fait sortir les gens de leur condition, et la vulgarité des hommes
  d'argent.

  ① Montrer que ce portrait est fait d'un croquis caricatural,
  esquissé par Usbek de l'extérieur, et d'une définition intellectuelle
  et satirique fournie tout naturellement en réponse par son compa-
  gnon.

  ② Mettre en valeur la naïveté apparente du Persan et l'humour
  de son interlocuteur.

  ③ Pourquoi la critique est-elle moins âpre et moins profonde que
  l'indignation de La Bruyère (*Caractères*, VI, « Des biens de fortune ») et que la courageuse lucidité de Lesage dans *Turcaret*?

- **Le directeur de conscience**

  L'habitude de prendre un *directeur* était très répandue depuis
  la fin du XVIIᵉ siècle. La Bruyère, peu suspect d'hostilité à la
  religion, critique leur cupidité et leur désir de dominer (*Caractères*,
  III, 42); il condamne également (XIV, 16) certains abbés de cour
  mondains et galants. Montesquieu se place à un autre point de vue.

  ④ Quels traits de caractère peut-on relever dans la double
  attitude du directeur?

---

1. *Directeur* de conscience. — 2. Faveur divine. Le problème de *la grâce* opposait
les Jansénistes aux Jésuites. — 3. Abandon au péché. — 4. Frappe de réprobation. —
5. Souci d'offrir ses bons *offices*. — 6. Remarquées, souhaitées.

il dissipe un mal de tête mieux qu'homme du Monde[1];
70 il est excellent. »

     « Mais, si je ne vous importune pas, dites-moi qui
est celui qui est vis-à-vis de nous, qui est si mal habillé;
qui fait quelquefois des grimaces et a un langage différent des autres; qui n'a pas d'esprit pour parler, mais qui
75 parle pour avoir de l'esprit? — C'est, me répondit-il,
un poète, et le grotesque[2] du Genre humain. Ces gens-là
disent qu'ils sont nés ce qu'ils sont[3]. Cela est vrai, et aussi
ce qu'ils seront toute leur vie, c'est-à-dire presque toujours
les plus ridicules de tous les hommes. Aussi ne les épargne-
80 t-on point : on verse sur eux le mépris à pleines mains. La
famine a fait entrer celui-ci dans cette maison, et il y est bien
reçu du maître et de la maîtresse, dont la bonté et la politesse ne se démentent à l'égard de personne. Il fit leur
épithalame[4], lorsqu'ils se marièrent. C'est ce qu'il a fait de
85 mieux en sa vie; car il s'est trouvé que le mariage a été aussi
heureux qu'il l'a prédit. »

     « Vous ne le croiriez pas peut-être, ajouta-t-il, entêté[5]
comme vous l'êtes des préjugés de l'Orient : il y a parmi
nous des mariages heureux et des femmes dont la vertu
90 est un gardien sévère. Les gens dont nous parlons goûtent
entre eux une paix qui ne peut être troublée; ils sont aimés
et estimés de tout le monde. Il n'y a qu'une chose : c'est
que leur bonté naturelle leur fait recevoir chez eux toute
sorte de monde; ce qui fait qu'ils ont quelquefois mauvaise
95 compagnie. Ce n'est pas que je les désapprouve : il faut
vivre avec les hommes tels qu'ils sont; les gens qu'on dit être
de si bonne compagnie ne sont souvent que ceux dont
les vices sont plus raffinés[6] et peut-être en est-il comme
des poisons, dont les plus subtils sont aussi les plus dan-
100 gereux. »

     « Et ce vieux homme, lui dis-je tout bas, qui a l'air
si chagrin[7]? Je l'ai pris d'abord pour un étranger : car,
outre qu'il est habillé autrement que les autres, il censure
tout ce qui se fait en France et n'approuve pas votre gou-
105 vernement. — C'est un vieux guerrier, me dit-il, qui se
rend mémorable à tous ses auditeurs par la longueur de ses

---

1. *Mieux* que personne au *monde.* — 2. Le personnage ridicule. — 3. Allusion au
dicton latin : « On naît poète, on devient orateur .» — 4. Poème composé pour célébrer
un mariage. — 5. Prévenu en faveur de. — 6. Portés au comble de la recherche. — 7. De
mauvaise humeur.

exploits. Il ne peut souffrir que la France ait gagné des
batailles où il ne se soit pas trouvé, ou qu'on vante un siège
où il n'ait pas monté à la tranchée. Il se croit si nécessaire
à notre histoire, qu'il s'imagine qu'elle finit où il a fini : il [110]
regarde quelques blessures [1] qu'il a reçues, comme la disso-
lution [2] de la Monarchie, et, à la différence de ces philosophes qui disent qu'on ne jouit que du présent, et que
le passé n'est rien, il ne jouit, au contraire, que du passé
et n'existe que dans les campagnes qu'il a faites : il [115]
respire dans les temps qui se sont écoulés, comme les
héros doivent vivre dans ceux qui passeront après eux.
— Mais pourquoi, dis-je, a-t-il quitté le service? — Il ne l'a
point quitté, me répondit-il; mais le service l'a quitté [3] :
on l'a employé dans une petite place, où il racontera ses [120]
aventures le reste de ses jours; mais il n'ira jamais plus
loin : le chemin des honneurs lui est fermé. — Et pourquoi? lui dis-je. — Nous avons une maxime en France, me
répondit-il : c'est de n'élever [4] jamais les officiers dont
la patience a langui dans les emplois sulbalternes. Nous [125]
les regardons comme des gens dont l'esprit s'est rétréci
dans les détails, et qui, par l'habitude des petites choses,
sont devenus incapables des plus grandes [...].

De Paris, le 5 de la lune de Rhamazan [5], 1713.

Rica critique (Lettre **49**) *l'ordre des Capucins et les
missions à l'étranger : cette hostilité au prosélytisme,
considéré comme une aberration, annonce la* Lettre **85**.

● **Le poète lyrique**

① Expliquer la sévérité de Montesquieu en rapprochant ce texte
de la *Lettre* **138** et en songeant à la décadence de la poésie au
XVIIIe siècle.

● **Le vieil officier**

② Relever les formules ironiques dans le portrait de ce retraité
mécontent.

③ N'y a-t-il pas de la mauvaise foi dans l'attitude du personnage?

1. *Blessures* d'amour-propre. — 2. Ruine. — 3. De 1718 à 1720 les promotions
d'officiers généraux sont faites au choix, et non plus, comme sous Louis XIV, à
l'ancienneté. — 4. A un grade supérieur. — 5. Novembre.

LETTRE 50

*RICA A ****

J'ai vu des gens chez qui la vertu était si naturelle qu'elle ne se faisait pas même sentir : ils s'attachaient à leur devoir sans s'y plier et s'y portaient comme par instinct. Bien loin de relever [1] par leurs discours leurs rares
5 qualités, il semblait qu'elles n'avaient pas percé jusques à eux. Voilà les gens que j'aime; non pas ces hommes vertueux qui semblent être étonnés de l'être et qui regardent une bonne action comme un prodige, dont le récit doit surprendre.
10 Si la modestie est une vertu nécessaire à ceux à qui le Ciel a donné de grands talents, que peut-on dire de ces insectes qui osent faire paraître un orgueil qui déshonorerait les plus grands hommes?

Je vois de tous côtés des gens qui parlent sans cesse d'eux-
15 mêmes : leurs conversations sont un miroir qui présente toujours leur impertinente [2] figure. Ils vous parleront des moindres choses qui leur sont arrivées, et ils veulent que l'intérêt qu'ils y prennent les grossisse à vos yeux; ils ont tout fait, tout vu, tout dit, tout pensé; ils sont un
20 modèle universel, un sujet de comparaison inépuisable, une source d'exemples qui ne tarit jamais. Oh! que la louange est fade lorsqu'elle réfléchit [3] vers le lieu d'où elle part!

Il y a quelques jours qu'un homme de ce caractère nous accabla pendant deux heures de lui, de son mérite et de
25 ses talents. Mais, comme il n'y a point de mouvement perpétuel dans le Monde, il cessa de parler; la conversation nous revint donc, et nous la prîmes.

• **La modestie** (*Lettre 50*)

Montesquieu fait grand cas de la modestie :
Une âme basse orgueilleuse est descendue au seul point de bassesse où elle pouvait descendre. Une grande âme qui s'abaisse est au plus haut point de la grandeur (Traité des Devoirs).

① Montrer que ce texte contient à la fois une confidence de l'auteur et une caricature amusante.

② Comparer le « *discoureur* » (l. 32) aux petits marquis du *Misanthrope* (III, 1).

---

1. Faire ressortir. — 2. Déplaisante. — 3. Revient, en terme de physique.

Un homme qui paraissait assez chagrin commença par se plaindre de l'ennui répandu dans les conversations. « Quoi! toujours des sots qui se peignent eux-mêmes, 30 et qui ramènent tout à eux? — Vous avez raison, reprit brusquement notre discoureur. Il n'y a qu'à faire comme moi : je ne me loue jamais; j'ai du bien, de la naissance; je fais de la dépense; mes amis disent que j'ai quelque esprit; mais je ne parle jamais de tout cela. Si j'ai quelques bonnes 35 qualités, celle dont je fais le plus de cas, c'est ma modestie. »

J'admirais cet impertinent [1], et, pendant qu'il parlait tout haut, je disais tout bas : « Heureux celui qui a assez de vanité pour ne dire jamais de bien de lui, qui craint ceux qui l'écoutent, et ne compromet point son mérite 40 avec l'orgueil des autres [2]! »

De Paris, le 20 de la lune de Rhamazan [3], 1713.

LETTRE 51

NARGUM, ENVOYÉ DE PERSE EN MOSCOVIE, A USBEK A PARIS

On m'a écrit d'Ispahan que tu avais quitté la Perse, et que tu étais actuellement à Paris. Pourquoi faut-il que j'apprenne de tes nouvelles par d'autres que par toi?

Les ordres du Roi des Rois [4] me retiennent depuis 5 cinq ans dans ce pays-ci, où j'ai terminé plusieurs négociations importantes.

Tu sais que le Czar est le seul des princes chrétiens dont les intérêts soient mêlés avec ceux de la Perse, parce qu'il est ennemi des Turcs comme nous [5]. 10

Son empire est plus grand que le nôtre : car on compte mille lieues depuis Moscou jusqu'à la dernière place de ses États du côté de la Chine.

Il est le maître absolu de la vie et des biens de ses sujets, qui sont tous esclaves, à la réserve de quatre familles. 15

---

1. Homme sans tact. — 2. En l'exposant à souffrir de l'orgueil d'autrui. — 3. Novembre. — 4. Titre porté par les rois de Perse depuis Cyrus. — 5. En 1710, la Turquie déclara la guerre à la Russie et, après un an de combats, obtint la restitution d'Azov et de l'embouchure du Don.

Le lieutenant des Prophètes, le Roi des Rois, qui a le Ciel pour marchepied, ne fait pas un exercice plus redoutable de sa puissance.

20   A voir le climat affreux de la Moscovie, on ne croirait jamais que ce fût une peine d'en être exilé; cependant, dès qu'un grand est disgracié, on le relègue en Sibérie. [...]

Les Moscovites ne peuvent point sortir de l'Empire, fût-ce pour voyager [1]. Ainsi, séparés des autres nations par les lois du pays, ils ont conservé leurs anciennes
25   coutumes avec d'autant plus d'attachement qu'ils ne croyaient pas qu'il fût possible d'en avoir d'autres.

Mais le prince qui règne à présent [2] a voulu tout changer : il a eu de grands démêlés avec eux au sujet de leur barbe [3]; le clergé et les moines n'ont pas moins combattu
30   en faveur de leur ignorance.

Il s'attache à faire fleurir les arts et ne néglige rien pour porter dans l'Europe et l'Asie la gloire de sa nation, oubliée jusques ici et presque uniquement connue d'elle-même.

35   Inquiet [4] et sans cesse agité, il erre [5] dans ses vastes États, laissant partout des marques de sa sévérité naturelle.

Il les quitte, comme s'ils ne pouvaient le contenir, et va chercher dans l'Europe d'autres provinces et de nouveaux royaumes [6].

40   Je t'embrasse, mon cher Usbek. Donne-moi de tes nouvelles, je te conjure.

De Moscou, le 2 de la lune de Chalval [7], 1713.

● **Pierre le Grand** (*Lettre 51*)
Le jugement favorable porté sur Pierre le Grand s'inscrit dans la ligne de ce que A. Lortholary, dans un ouvrage récent, appelle « le mirage russe en France au xviiie siècle ». Fontenelle a joué un grand rôle dans l'édification de ce mythe, auquel le voyage du Czar à Paris, en 1717, donna un regain de vigueur.

---

1. Ce qui leur permettrait de voir la liberté des autres peuples. — 2. Pierre le Grand, maître de la Russie de 1689 à 1725. — 3. Le czar proscrivit, à l'armée et dans les villes, le port de la barbe, considéré comme un signe d'opposition et d'attachement aux anciennes mœurs. — 4. Jamais content. — 5. Circule à l'aventure. Pierre le Grand a personnellement remis de l'ordre dans l'administration provinciale de la Russie. — 6. Livonie, Estonie, Carélie, enlevées à Charles XII de Suède. — 7. Décembre.

LETTRE 52

RICA A USBEK
A ***

J'étais l'autre jour dans une société[1] où je me divertis
assez bien. Il y avait là des femmes de tous les âges :
une de quatre-vingts ans, une de soixante, une de quarante, qui avait une nièce de vingt à vingt-deux. Un
certain instinct me fit approcher de cette dernière, et   5
elle me dit à l'oreille : « Que dites-vous de ma tante, qui,
à son âge, veut avoir des amants[2] et fait encore la jolie?
— Elle a tort, lui dis-je : c'est un dessein qui ne convient
qu'à vous. » Un moment après, je me trouvai auprès de sa
tante, qui me dit : « Que dites-vous de cette femme, qui a   10
pour le moins soixante ans, qui a passé aujourd'hui plus
d'une heure à sa toilette? — C'est du temps perdu, lui dis-je,
et il faut avoir vos charmes pour devoir y songer. » J'allai
à cette malheureuse femme de soixante ans et la plaignais
dans mon âme, lorsqu'elle me dit à l'oreille : « Y a-t-il   15
rien[3] de si ridicule? Voyez cette femme qui a quatre-vingts
ans, et qui met des rubans couleur de feu[4]; elle veut
faire la jeune, et elle y réussit : car cela approche de

● **La paille et la poutre** (*Lettre* **52**)

Ne sentirons-nous jamais que le ridicule des autres? Cette question
que se pose Usbek (l. 19) constitue le sujet de la lettre. C'est la
morale de la fable de La Fontaine *La Besace* (I, 7).

① Étudier la composition de cette courte comédie.

② Quel rôle joue le Persan?

③ Mettre en relief l'esprit de l'auteur dans le dialogue et dans
certaines trouvailles de style.

④ Rapprocher ces coquettes qui se rajeunissent de la
« vieille Émilie » (Molière, *Le Misanthrope*, v. 81 et suiv.) et
de Lise (La Bruyère, *Caractères*, III, 8). Lesage, dans son *Diable
boiteux* (X), venait de présenter (1707) de vieilles femmes essayant
de faire illusion sur leur âge.

---

1. Réunion. — 2. Adorateurs. — 3. Quelque chose. — 4. D'une couleur flamboyante.

l'enfance. » — « Ah! bon Dieu, dis-je en moi-même, ne
20 sentirons-nous jamais que le ridicule des autres? — C'est
peut-être un bonheur, disais-je ensuite, que nous trouvions
de la consolation dans les faiblesses d'autrui. » Cependant
j'étais en train de [1] me divertir, et je dis [2] : « Nous avons
assez monté; descendons à présent, et commençons par la
25 vieille qui est au sommet. » — « Madame, vous vous res-
semblez si fort, cette dame à qui je viens de parler et vous,
qu'il me semble que vous soyez deux sœurs, et je vous crois
à peu près du même âge. — Vraiment, Monsieur, me dit-
elle, lorsque l'une mourra, l'autre devra avoir grand-peur :
30 je ne crois pas qu'il y ait d'elle à moi deux jours de différence. » Quand je tins [3] cette femme décrépite, j'allai à celle
de soixante ans. « Il faut, Madame, que vous décidiez [4] un
pari que j'ai fait : j'ai gagé que cette dame et vous — lui
montrant la femme de quarante ans — étiez de même âge.
35 — Ma foi, dit-elle, je ne crois pas qu'il y ait six mois de
différence. — Bon, m'y voilà; continuons. » Je descendis
encore, et j'allai à la femme de quarante ans. « Madame,
faites-moi la grâce de me dire si c'est pour rire que vous
appelez cette demoiselle, qui est à l'autre table, votre nièce?
40 Vous êtes aussi jeune qu'elle; elle a même quelque chose
dans le visage de passé [5], que vous n'avez certainement pas,
et ces couleurs vives [6] qui paraissent sur votre teint...
— Attendez, me dit-elle : je suis sa tante; mais sa mère avait
pour le moins vingt-cinq ans de plus que moi : nous n'étions
45 pas de même lit [7], j'ai ouï dire à feu ma sœur que sa fille
et moi naquîmes la même année. — Je le disais bien,
Madame, et je n'avais pas tort d'être étonné. »

Mon cher Usbek, les femmes qui se sentent finir d'avance
par la perte de leurs agréments voudraient reculer vers la
50 jeunesse. Eh! comment ne chercheraient-elles pas à tromper les autres? Elles font tous leurs efforts pour se tromper
elles-mêmes et se dérober à la plus affligeante de toutes
les idées [8].

De Paris, le 3 de la lune de Chalval [9], *1713.*

---

1. Disposé à. — 2. *Je me dis.* — 3. J'eus pris au piège. — 4. Tranchiez. — 5. Fané. —
6. Le fard, dont on faisait alors très grand usage. — 7. Issues du même mariage. —
8. L'*idée* de la mort. — 9. Décembre.

Continuant son enquête sur la société française, Rica rapporte une conversation entre deux beaux esprits, puis analyse les rapports entre les époux (Lettres **52-55**).

LETTRE 56

*USBEK A IBBEN
A SMYRNE*

Le jeu est très en usage [1] en Europe : c'est un état [2] que d'être joueur. Ce seul titre tient lieu de naissance, de bien, de probité : il met tout homme qui le porte au rang des honnêtes gens, sans examen, quoiqu'il n'y ait personne qui ne sache qu'en jugeant ainsi il s'est trompé [5] très souvent; mais on est convenu d'être incorrigible.

Les femmes y sont surtout très adonnées. Il est vrai qu'elles ne s'y livrent guère dans leur jeunesse que pour favoriser une passion plus chère [3]; mais, à mesure qu'elles vieillissent, leur passion pour le jeu semble rajeunir, et [10] cette passion remplit tout le vide des autres.

Elles veulent ruiner leurs maris, et, pour y parvenir, elles ont des moyens pour tous les âges, depuis la plus tendre jeunesse jusques à la vieillesse la plus décrépite : les habits et les équipages [4] commencent le dérangement [5]; [15] la coquetterie l'augmente; le jeu l'achève.

● **Lettre 56**

① Étudier la manière dont Montesquieu s'inspire de La Bruyère (*Caractères*, VI, 71) :
L'on dit du jeu qu'il égale les conditions [...]. Si l'on m'oppose que c'est la pratique de tout l'occident, je réponds que c'est peut-être aussi l'une de ces choses qui nous rendent barbares à l'autre partie du monde et que les Orientaux qui viennent jusqu'à nous remportent sur leurs tablettes.

---

1. En France, le goût du jeu, introduit par Mazarin à la Cour, se développa avec fureur dans la seconde moitié du règne de Louis XIV. — 2. Une condition sociale. — 3. L'amour. — 4. Carrosses et attelages. — 5. La gêne d'argent.

J'ai vu souvent neuf ou dix femmes, ou plutôt neuf ou dix siècles rangés autour d'une table; je les ai vues dans leurs espérances, dans leurs craintes, dans leurs joies,
20　surtout dans leurs fureurs. Tu aurais dit qu'elles n'auraient jamais le temps de s'apaiser, et que la vie allait les quitter avant leur désespoir; tu aurais été en doute si ceux qu'elles payaient étaient leurs créanciers ou leurs légataires.

Il semble que notre saint prophète ait eu principa-
25　lement en vue de nous priver de tout ce qui peut trou-bler notre raison : il nous a interdit l'usage du vin [1], qui la tient ensevelie; il nous a, par un précepte exprès, défendu les jeux de hasard [2]; et, quand il lui a été impossible d'ôter la cause des passions, il les a amorties [3]. L'amour, parmi
30　nous, ne porte ni trouble ni fureur; c'est une passion lan-guissante [4], qui laisse notre âme dans le calme : la pluralité des femmes nous sauve de leur empire; elle tempère [5] la violence de nos désirs.

De Paris, le 10 de la lune de Zilhagé [6], 1714.

LETTRE 57

USBEK A RHÉDI
A VENISE

Les libertins [7] entretiennent ici un nombre infini de filles de joie, et les dévots, un nombre innombrable de dervis [8]. Ces dervis font trois vœux : d'obéissance, de pauvreté et de chasteté. On dit que le premier est le mieux
5　observé de tous; quant au second, je te réponds qu'il ne l'est point; je te laisse à juger du troisième.

Mais, quelque riches que soient ces dervis, ils ne quittent jamais la qualité de pauvres; notre glorieux sultan renon-cerait plutôt à ses magnifiques et sublimes titres. Ils ont
10　raison : car ce titre de pauvre les empêche de l'être.

Les médecins et quelques-uns de ces dervis qu'on

---

1. Voir la *Lettre* 33. — 2. Sur ce point, comme sur le précédent, les Persans étaient assez relâchés. — 3. Rendues plus faibles. — 4. Sans vivacité, ni ardeur. — 5. Adoucit. — 6. Février. — 7. Le mot commence à perdre son sens de libre-penseur pour prendre celui de débauché, en un temps où peu de gens imaginent qu'on puisse mener une vie vertueuse sans s'appuyer sur la religion. — 8. Moines.

appelle *confesseurs* sont toujours ici ou trop estimés ou
trop méprisés; cependant on dit que les héritiers s'accom-
modent mieux des médecins que des confesseurs.

   Je fus l'autre jour dans un couvent de ces dervis. Un [15]
d'entre eux, vénérable par ses cheveux blancs, m'accueillit
fort honnêtement; il me fit voir toute la maison; nous
entrâmes dans le jardin, et nous nous mîmes à discourir.
« Mon père, lui dis-je, quel emploi avez-vous dans la communauté? — Monsieur, me répondit-il avec un air très [20]
content de ma question, je suis casuiste [1]. — Casuiste?
repris-je : depuis que je suis en France, je n'ai pas ouï parler
de cette charge. — Quoi! vous ne savez pas ce que c'est
qu'un casuiste? Eh bien! écoutez : je vais vous en donner
une idée qui ne vous laissera rien à désirer. Il y a deux sortes [25]
de péchés : de mortels, qui excluent absolument du Paradis; et de véniels, qui offensent Dieu à la vérité, mais ne
l'irritent pas au point de nous priver de la béatitude [2].
Or tout notre art consiste à bien distinguer ces deux sortes
de péchés : car, à la réserve de quelques libertins [3], tous les [30]
chrétiens veulent gagner le Paradis; mais il n'y a guère
personne qui ne le veuille gagner à meilleur marché
qu'il est possible. Quand on connaît bien les péchés mortels,
on tâche de ne pas commettre de ceux-là, et l'on fait son

● **Pascal et Montesquieu** (*Lettre* **57**)

   Montesquieu a lu de très près *les Provinciales*, dont le souvenir
s'impose en plusieurs endroits :
   *Qu'importe par où nous entrions dans le Paradis, pourvu que nous
   y entrions* (IXᵉ Lettre).
   *La spéculation est ce qui détermine à l'action. D'où il s'ensuit qu'on
   peut en sûreté de conscience suivre dans la pratique les opinions
   probables dans la spéculation* (XIIIᵉ Lettre).
   *Quand nous ne pouvons pas empêcher l'action, nous purifions au
   moins l'intention; et ainsi nous corrigeons le vice du moyen par la
   pureté de la fin* (VIIᵉ Lettre).

   ① Comparer le ton et le sens de la satire des casuistes chez Pascal
et chez Montesquieu.

---

1. La casuistique applique les règles morales à des cas particuliers. Comme elle abou-
issait pratiquement à minimiser les fautes, elle avait été, après la dénonciation de Pascal
dans *les Provinciales*, condamnée en 1657 par l'Assemblée du Clergé. — 2. Bonheur parfait
des élus. — 3. Ici, dans le sens de libre-penseurs.

35   affaire[1]. Il y a des hommes qui n'aspirent pas à une si grande
     perfection, et, comme ils n'ont point d'ambition, ils ne se
     soucient pas des premières places. Aussi entrent-ils en
     Paradis le plus juste qu'ils peuvent; pourvu qu'ils y soient,
     cela leur suffit : leur but est de n'en faire ni plus ni
40   moins. Ce sont des gens qui ravissent[2] le Ciel, plutôt
     qu'ils ne l'obtiennent, et qui disent à Dieu : « Seigneur, j'ai
     accompli les conditions à la rigueur[3], vous ne pouvez
     vous empêcher de tenir vos promesses : comme je n'en
     ai pas fait plus que vous n'en avez demandé, je vous dis-
45   pense de m'en accorder plus que vous n'en avez promis. »
     Nous sommes donc des gens nécessaires, Monsieur. Ce
     n'est pas tout pourtant; vous allez bien voir autre chose.
     L'action ne fait pas le crime, c'est la connaissance de celui
     qui la commet : celui qui fait un mal, tandis qu'[4] il peut
50   croire que ce n'en est pas un, est en sûreté de conscience, et
     comme il y a un nombre infini d'actions équivoques, un
     casuiste peut leur donner un degré de bonté qu'elles n'ont
     point, en les déclarant bonnes; et, pourvu qu'il puisse
     persuader qu'elles n'ont pas de venin, il le leur ôte tout
55   entier. Je vous dis ici le secret d'un métier où j'ai vieilli;
     je vous en fais voir les raffinements : il y a un tour à
     donner à tout, même aux choses qui en paraissent les
     moins susceptibles. — Mon père, lui dis-je, cela est fort
     bon; mais comment vous accommodez-vous avec le
60   Ciel[5]? Si le Sophi[6] avait à sa cour un homme qui fît à son
     égard ce que vous faites contre votre Dieu, qui mît de la
     différence entre ses ordres, et qui apprît à ses sujets dans
     quel cas ils doivent les exécuter, et dans quel autre ils
     peuvent les violer, il le ferait empaler sur l'heure. » Je saluai
65   mon dervis et le quittai sans attendre sa réponse.

          De Paris, le 25 de la lune de Maharram[7], *1714.*

---

1. On réussit. — 2. Prennent par surprise. — 3. Rigoureusement. — 4. Aussi longtemps
que. — 5. Voir *Tartuffe*, v. 1487-1488 : « Le Ciel défend, de vrai, certains contentements;
— Mais on trouve avec lui des accommodements. » — 6. Le roi de Perse. — 7. Mars.

*Rica énumère les gens de toutes sortes capables, dans une ville « mère de l'invention », de prendre l'argent des passants. « Un homme obligeant vient, pour un peu d'argent, vous offrir le secret de faire de l'or [...]. Il y a dans tous les coins des gens qui ont des remèdes infaillibles contre toutes les maladies imaginables » (Lettre **58**).*

LETTRE 59

RICA A USBEK
A ***

J'étais l'autre jour dans une maison où il y avait un cercle[1] de gens de toute espèce : je trouvai la conversation occupée[2] par des vieilles femmes, qui avaient en vain travaillé tout le matin à se rajeunir. « Il faut avouer, disait une d'entre elles, que les hommes d'aujourd'hui sont bien différents de ceux que nous voyions dans notre jeunesse : ils étaient polis, gracieux, complaisants. Mais, à présent, je les trouve d'une brutalité insupportable. — Tout est changé, dit pour lors[3] un homme qui paraissait accablé de goutte[4]. Le temps n'est plus comme il était : il y a quarante ans, tout le monde se portait bien; on marchait; on était gai; on ne demandait qu'à rire et à danser. A présent, tout le

---

● **Lettre 59**

① Quel est le caractère commun à toutes ces conversations recueillies dans un salon?

② Montrer que cette lettre peint un travers de tous les temps, mais témoigne d'une tristesse certaine, dans la société française, à la fin du règne de Louis XIV.

③ Souligner l'art de camper les personnages ou de mettre en relief leurs réflexions par quelques mots.

④ Dans les deux derniers paragraphes, Montesquieu n'adopte-t-il pas un style rappelant successivement celui de Fontenelle, puis celui de Pascal?

---

1. Une réunion. — 2. Accaparée. — 3. Alors. — 4. Inflammation des articulations.

monde est d'une tristesse insupportable. » Un moment
après, la conversation tourna du côté de la politique.
15 « Morbleu! dit un vieux seigneur, l'État n'est plus gouverné :
trouvez-moi à présent un ministre comme M. Colbert.
Je le connaissais beaucoup, ce M. Colbert : il était de mes
amis; il me faisait toujours payer de mes pensions avant
qui que ce fût. Le bel ordre qu'il y avait dans les finances!
20 Tout le monde était à son aise. Mais aujourd'hui je suis
ruiné. — Monsieur, dit pour lors un ecclésiastique, vous
parlez là du temps le plus miraculeux de notre invincible
monarque. Y a-t-il rien de si grand que ce qu'il faisait alors
pour détruire l'Hérésie [1]? — Et comptez-vous pour rien
25 l'abolition des duels [2]? » dit, d'un air content, un autre
homme qui n'avait point encore parlé. « La remarque est
judicieuse, me dit quelqu'un à l'oreille : cet homme est
charmé de l'édit, et il l'observe si bien qu'il y a six mois
qu'il reçut cent coups de bâton pour ne le pas violer. »

30 Il me semble, Usbek, que nous ne jugeons jamais des
choses que par un retour secret que nous faisons sur nous-
mêmes. Je ne suis pas surpris que les Nègres peignent le
diable d'une blancheur éblouissante et leurs dieux noirs
comme du charbon; que la Vénus de certains peuples ait
35 des mamelles qui lui pendent jusques aux cuisses; et qu'enfin tous les idolâtres aient représenté leurs dieux avec une
figure humaine et leur aient fait part de [3] toutes leurs inclinations. On a dit fort bien que, si les triangles faisaient un
dieu, ils lui donneraient trois côtés.

40 Mon cher Usbek, quand je vois des hommes qui rampent
sur un atome, c'est-à-dire la Terre, qui n'est qu'un point
de l'Univers, se proposer directement pour modèles de la
Providence, je ne sais comment accorder tant d'extravagance avec tant de petitesse.

De Paris, le 14 de la lune de Saphar [4], 1714.

---

1. Le protestantisme et le jansénisme. — 2. Édit de 1679. — 3. Les aient fait participer à
— 4. Avril.

*Usbek expose la situation des Juifs en Europe, souligne les
progrès de la tolérance à leur égard et blâme les excès du
fanatisme* (Lettre **60**).

LETTRE 61

USBEK A RHÉDI
A VENISE

J'entrai l'autre jour dans une église fameuse qu'on
appelle *Notre-Dame*. Pendant que j'admirais ce superbe
édifice, j'eus occasion de m'entretenir avec un ecclésiastique que la curiosité y avait attiré comme moi. La conversation tomba sur la tranquillité de sa profession.   5

« La plupart des gens, me dit-il, envient le bonheur
de notre état, et ils ont raison. Cependant, il a ses désagré-
ments. Nous ne sommes points si séparés du monde que
nous n'y soyons appelés en mille occasions; là, nous avons
un rôle très difficile à soutenir [1].   10

» Les gens du monde sont étonnants [2] : ils ne peuvent
souffrir notre approbation, ni nos censures : si nous les
voulons corriger, ils nous trouvent ridicules; si nous les
approuvons, ils nous regardent comme des gens au-dessous
de notre caractère. Il n'y a rien de si humiliant que de penser 15
qu'on a scandalisé les impies mêmes. Nous sommes donc
obligés de tenir une conduite équivoque et d'en imposer
aux libertins, non pas par un caractère décidé [3], mais par
l'incertitude où nous les mettons de la manière dont nous
recevons leurs discours. Il faut avoir beaucoup d'esprit   20

● **Lettre 61**

① Justifier cette remarque de P. Vernière (*Op. cit.*, p. 127) :
*Nulle page ne marque mieux l'anticléricalisme de Montesquieu :
la condition de prêtre est ambiguë dans le monde et son intervention
trouble l'État.*

---

1. A jouer avec persévérance. — 2. Étranges. — 3. Résolu.

pour cela : cet état de neutralité est difficile. Les gens du monde, qui hasardent [1] tout, qui se livrent à toutes leurs saillies, qui, selon le succès, les poussent ou les abandonnent, réussissent bien mieux.

. . . .

[25] » Il y a plus : une certaine envie d'attirer les autres dans nos opinions nous tourmente sans cesse et est, pour ainsi dire, attachée à notre profession. Cela est aussi ridicule que si on voyait les Européens travailler, en faveur de la nature humaine, à blanchir le visage des Africains. [30] Nous troublons l'État, nous nous tourmentons nous-mêmes pour faire recevoir des points de religion qui ne sont point fondamentaux, et nous ressemblons à ce conquérant de la Chine [2] qui poussa ses sujets à une révolte générale pour les avoir voulu obliger à se rogner les cheveux ou [35] les ongles.

. . . .

De Paris, le premier de la lune de Rebiab [3] 1, 1714.

Usbek, qui a reçu une lettre de Zélis sur la condition des Orientales (Lettre **62**), *exhorte au calme son sérail « rempli de querelles et divisions »* (Lettres **64-65**). *De son côté, Rica dépeint la vie mondaine et sa frivolité* (Lettre **63**).

LETTRE 66

*RICA A ****

On s'attache ici beaucoup aux sciences; mais je ne sais si on est fort savant. Celui qui doute de tout comme philosophe n'ose rien nier comme théologien. Cet homme contradictoire est toujours content de lui, [5] pourvu qu'on convienne des qualités [4].

La fureur [5] de la plupart des Français, c'est d'avoir de

---

1. Tentent le hasard du succès. — 2. Le premier empereur mandchou de la Chine. — 3. Mai. — 4. Que l'on dise s'il doit parler en tant que philosophe ou en tant que théologien. — 5. La folie.

l'esprit, et la fureur de ceux qui veulent avoir de l'esprit, c'est de faire des livres.

Cependant il n'y a rien de si mal imaginé : la Nature semblait avoir sagement pourvu à ce que les sottises des hommes fussent passagères, et les livres les immortalisent. Un sot devrait être content d'avoir ennuyé tous ceux qui ont vécu avec lui : il veut encore tourmenter les races futures, il veut que sa sottise triomphe de l'oubli, dont il aurait pu jouir comme du tombeau; il veut que la postérité soit informée qu'il a vécu, et qu'elle sache à jamais qu'il a été un sot.

De tous les auteurs, il n'y en a point que je méprise plus que les compilateurs, qui vont, de tous côtés, chercher des lambeaux des ouvrages des autres, qu'ils plaquent dans les leurs, comme des pièces de gazon dans un parterre. Ils ne sont point au-dessus de ces ouvriers d'imprimerie qui rangent des caractères qui, combinés ensemble, font un livre où ils n'ont fourni que la main [1]. Je voudrais qu'on respectât les livres originaux, et il me semble que c'est une espèce de profanation de tirer les pièces qui les composent du sanctuaire où elles sont, pour les exposer à un mépris qu'elles ne méritent point.

Quand un homme n'a rien à dire de nouveau, que ne se tait-il? Qu'a-t-on affaire de ces doubles emplois? « Mais je veux donner un nouvel ordre. — Vous êtes un habile homme : vous venez dans ma bibliothèque, et vous mettez en bas les livres qui sont en haut, et en haut ceux qui sont en bas. C'est un beau chef-d'œuvre! »

Je t'écris sur ce sujet, ***, parce que je suis outré d'un livre que je viens de quitter, qui est si gros qu'il semblait contenir la Science universelle; mais il m'a rompu la tête sans m'avoir rien appris.

Adieu.

De Paris, le 8 de la lune de Chahban [2], *1714.*

---

1. Le travail manuel. — 2. Octobre.

*Ibben raconte à son ami Usbek l'histoire de deux
Guèbres*[1], *Aphéridon et Astarté. Le récit s'achève par le
triomphe de l'amour et le retour d'Astarté à la religion de
ses pères* (Lettre **67**). *Rica ridiculise l'ignorance de certains
magistrats, ignorance que Montesquieu était bien placé
pour apprécier* (Lettre **68**). *Usbek affirme la vanité des discussions sur l'accord entre la prescience de Dieu et le libre-
arbitre* (Lettre **69**), *puis adresse à son épouse Zélis ses
directives sur l'éducation de leur fille* (Lettre **71**).

LETTRE 72

RICA A IBBEN
A ***

Je me trouvai l'autre jour dans une compagnie où je
vis un homme bien content de lui. Dans un quart
d'heure, il décida[2] trois questions de morale, quatre problèmes historiques et cinq points de physique. Je n'ai
5   jamais vu un décisionnaire si universel : son esprit ne fut
jamais suspendu[3] par le moindre doute. On laissa les

● **Le décisionnaire** (*Lettre* **72**)

Montesquieu a forgé le terme (l. 5), estimant qu'une langue doit
constamment s'enrichir :
*C'est une mauvaise maxime que de faire des dictionnaires des langues
vivantes : cela les borne trop. Tous les mots qui n'y sont pas sont censés
impropres, étrangers ou hors d'usage. C'est l'Académie même qui a
produit les satires néologiques, ou en a été la cause* (Mes Pensées, 781).

① Montrer que le décisionnaire s'attribue un rôle d'arbitre.

② Comparer cette lettre au portrait d'Arrias chez La Bruyère
(*Caractères*, V, 9) en étudiant successivement l'analyse psychologique, la mise en scène et le style.

③ Que nous apprend Rica sur les sujets de conversation?
Ceux-ci ont-ils évolué depuis l'époque où écrivait Montesquieu?

---

1. Persans demeurés fidèles à la religion ancienne de Zoroastre. — 2. Trancha. —
3. Rendu hésitant.

sciences; on parla des nouvelles du temps : il décida sur les nouvelles du temps. Je voulus l'attraper, et je dis en moi-même : « Il faut que je me mette dans mon fort [1] ; je vais me réfugier dans mon pays. » Je lui parlai de la Perse. Mais, à peine lui eus-je dit quatre mots, qu'il me donna deux démentis, fondés sur l'autorité de MM. Tavernier et Chardin [2]. « Ah! bon Dieu! dis-je en moi-même, quel homme est-ce là? Il connaîtra tout à l'heure les rues d'Ispahan mieux que moi! » Mon parti fut bientôt pris : je me tus, je le laissai parler, et il décide encore.

De Paris, le 8 de la lune de Zilcadé [3], 1715.

LETTRE 73

*RICA A ****

J'ai ouï parler d'une espèce de tribunal [4] qu'on appelle l'*Académie française*. Il n'y en a point de moins respecté dans le Monde : car on dit qu'aussitôt qu'il a décidé, le Peuple casse ses arrêts et lui impose des lois qu'il est obligé de suivre [5].

Il y a quelque temps que, pour fixer son autorité, il donna un code de ses jugements [6]. Cet enfant de tant de pères était presque vieux [7] quand il naquit, et, quoiqu'il fût

---

● **L'Académie** (*Lettre* **73**)

L'abbé de Saint-Pierre, exclu de l'Académie en 1718, se venge en la définissant comme un « instrument de flatterie et d'esclavage ».

① Quelles allusions de Montesquieu confirment cette formule?

② En s'attaquant à la rhétorique, dont l'Académie serait le conservatoire, Montesquieu n'annonce-t-il pas certaines « révolutions » littéraires?

---

1. Expression de vénerie : le plus épais du taillis, où les animaux sont en sûreté. — 2. Voir p. 14. — 3. Janvier. — 4. L'Académie a joué ce rôle dans la Querelle du Cid. — 5. Allusion à l'usage populaire, auquel les Académiciens doivent plier leurs définitions. — 6. Le *Dictionnaire de l'Académie*, paru en 1694. — 7. Commencé en 1635, il était *presque* sexagénaire.

légitime, un bâtard, qui avait déjà paru, l'avait presque
10   étouffé dans sa naissance [1].

Ceux qui le composent n'ont d'autre fonction que de
jaser sans cesse; l'éloge [2] va se placer comme de lui-même
dans leur babil éternel, et, sitôt qu'ils sont initiés dans ses
mystères, la fureur du panégyrique [3] vient les saisir et ne les
15   quitte plus.

Ce corps a quarante têtes [4] toutes remplies de figures [5],
de métaphores [6] et d'antithèses; tant de bouches ne parlent
que par exclamation; ses oreilles veulent toujours être
frappées par la cadence et l'harmonie. Pour les yeux,
20   il n'en est pas question : il semble qu'il soit fait pour parler,
et non pas pour voir. Il n'est point ferme sur ses pieds :
car le temps, qui est son fléau, l'ébranle à tous les instants et
détruit tout ce qu'il a fait [7]. On a dit autrefois que ses mains
étaient avides [8]. Je ne t'en dirai rien, et je laisse décider à
25   ceux qui le savent mieux que moi.

Voilà des bizarreries, ***, que l'on ne voit point dans
notre Perse. Nous n'avons point l'esprit porté à ces établis-
sements singuliers et bizarres; nous cherchons toujours la
nature dans nos coutumes simples et nos manières naïves [9].

De Paris, le 27 de la lune de Zilhagé [10], *1715.*

Dans la Lettre **74,** *Usbek dépeint la morgue des grands.*

Dans la Lettre **75,** *Usbek à Rhédi :* « *Je n'ai point re-*
marqué chez les chrétiens cette persuasion vive de leur
religion qui se trouve parmi les musulmans. Il y a bien loin
chez eux de la profession à la croyance, de la croyance à
la conviction, de la conviction à la pratique [...]. *Un d'eux*
me disait un jour : « *Je crois l'immortalité de l'âme par*
» *semestre; mes opinions dépendent absolument de la consti-*
» *tution de mon corps : selon que j'ai plus ou moins d'esprits*
» *animaux, que mon estomac digère bien ou mal, que l'air*
» *que je respire est subtil ou grossier, que les viandes dont je*
» *me nourris sont légères ou solides, je suis spinosiste, soci-*
» *nien, catholique, impie ou dévot. Quand le médecin est*

---

1. Le *Dictionnaire Universel* de Furetière, paru en 1690, et qui fit exclure son auteur de
l'Académie. — 2. Les discours d'apparat comportaient un *éloge.* — 3. Discours public à la
louange de quelqu'un. — 4. Les quarante Académiciens. — 5. De rhétorique. —
6. Comparaisons abrégées. — 7. La lenteur de l'élaboration avait rendu le *Dictionnaire*
de l'Académie périmé dès sa réédition en 1700. — 8. Les Académiciens recherchaient
les pensions royales, et les « jetons de présence ». — 9. Naturelles. — 10. Février.

« Le Roi de France est vieux... Il a un ministre qui n'a que dix-huit ans, et une maîtresse qui en a quatre-vingt ».

(Lettre 37)

» *auprès de mon lit, le confesseur me trouve à mon avantage.*
» *Je sais bien empêcher la religion de m'affliger quand je me*
» *porte bien ; mais je lui permets de me consoler quand je suis*
» *malade : lorsque je n'ai plus rien à espérer d'un côté, la*
» *religion se présente et me gagne par ses promesses ; je veux*
» *bien m'y livrer et mourir du côté de l'espérance.* »

LETTRE 76

USBEK A SON AMI IBBEN
A SMYRNE

Les lois sont furieuses [1] en Europe contre ceux qui se tuent eux-mêmes : on les fait mourir, pour ainsi dire, une seconde fois ; ils sont traînés [2] indignement par les rues ; on les note d'infamie [3] ; on confisque leurs biens.

5 Il me paraît, Ibben, que ces lois sont bien injustes. Quand je suis accablé de douleur, de misère, de mépris, pourquoi veut-on m'empêcher de mettre fin à mes peines, et me priver cruellement d'un remède qui est en mes mains ?

10 Pourquoi veut-on que je travaille pour une société, dont je consens de n'être plus ? que je tienne [4], malgré moi, une convention qui s'est faite sans moi ? La société est fondée sur un avantage mutuel. Mais lorsqu'elle me devient onéreuse [5], qui m'empêche de renoncer ? La vie m'a 15 été donnée comme une faveur ; je puis donc la rendre lorsqu'elle ne l'est plus : la cause cesse ; l'effet doit donc cesser aussi.

Le prince veut-il que je sois son sujet quand je ne retire point les avantages de la sujétion ? Mes concitoyens peuvent-20 ils demander ce partage [6] inique de leur utilité et de mon désespoir ? Dieu, différent de tous les bienfaiteurs, veut-il me condamner à recevoir des grâces qui m'accablent ?

---

1. Excessives. — 2. Promenés sur une claie, tirée par un cheval. — 3. Couvre de honte. — 4. Respecte. — 5. A charge. — 6. Cette séparation.

Je suis obligé de suivre les lois, quand je vis sous les lois. Mais, quand je n'y vis plus, peuvent-elles me lier encore? 25

Mais, dira-t-on, vous troublez l'ordre de la Providence. Dieu a uni votre âme avec votre corps, et vous l'en séparez. Vous vous opposez donc à ses desseins, et vous lui résistez. 30

Que veut dire cela? Troublé-je l'ordre de la Providence, lorsque je change les modifications de la matière et que je rends carrée une boule que les premières lois du mouvement, c'est-à-dire les lois de la création et de la conservation, avaient faite ronde? Non, sans doute : je ne 35 fais qu'user du droit qui m'a été donné, et, en ce sens, je puis troubler à ma fantaisie [1] toute la nature, sans que l'on puisse dire que je m'oppose à la Providence.

Lorsque mon âme sera séparée de mon corps, y aura-t-il moins d'ordre et moins d'arrangement dans l'Univers? 40 Croyez-vous que cette nouvelle combinaison soit moins parfaite et moins dépendante des lois générales? que le Monde y ait perdu quelque chose? et que les ouvrages de Dieu soient moins grands, ou plutôt moins immenses?

Pensez-vous que mon corps, devenu un épi de blé, 45 un ver, un gazon, soit changé en un ouvrage de la Nature moins digne d'elle? et que mon âme, dégagée de tout ce qu'elle avait de terrestre, soit devenue moins sublime [2]?

Toutes ces idées, mon cher Ibben, n'ont d'autre source que notre orgueil : nous ne sentons point notre petitesse, 50 et, malgré qu'on en ait [3], nous voulons être comptés dans l'Univers, y figurer et y être un objet important. Nous nous imaginons que l'anéantissement d'un être aussi parfait que nous dégraderait toute la nature, et nous ne convenons pas qu'un homme de plus ou de moins 55 dans le monde — que dis-je? — tous les hommes ensemble, cent millions de têtes comme la nôtre, ne sont qu'un atome subtil et délié [4], que Dieu n'aperçoit qu'à cause de l'immensité de ses connaissances.

De Paris, le 15 de la lune de Saphar [5], 1715.

---

1. A mon gré. — 2. Moins haute au point de vue moral. — 3. Malgré tout. — 4. Menu. — 5. Avril.

LETTRE 77

IBBEN A USBEK
A PARIS

Mon cher Usbek, il me semble que, pour un vrai musulman, les malheurs sont moins des châtiments que des menaces. Ce sont des jours bien précieux que ceux qui nous portent à expier les offenses. C'est le temps des
5 prospérités qu'il faudrait abréger. Que servent toutes ces impatiences [1], qu'à faire voir que nous voudrions être heureux indépendamment de Celui qui donne les félicités, parce qu'il est la félicité même?

Si un être est composé de deux êtres, et que la nécessité
10 de conserver l'union marque plus la soumission aux ordres du Créateur, on en a pu faire une loi religieuse. Si cette nécessité de conserver l'union est un meilleur garant des actions des hommes, on en a pu faire une loi civile.

De Smyrne, le dernier jour de la lune de Saphar [2], 1715.

● **Le suicide** (*Lettres* **76** *et* **77**)

La *Lettre* **76** fut sans doute inspirée par la succession de suicides qu'entraîna, en 1720, la faillite de Law. Pour apaiser l'opinion, troublée par la véritable apologie du suicide qu'il avait écrite, Montesquieu rédigea par la suite une rétractation d'Usbek, prévue pour constituer le dernier paragraphe de la lettre :
Toutes les choses que je viens de dire, mon cher Ibben, sont des paradoxes, qui (je crois) ne tiendront pas devant le raisonnement que je vais te faire. Depuis que l'Être suprême a uni nos âmes à nos corps, l'être composé a toujours une horreur secrète de la séparation des deux êtres simples : ce sentiment est une branche de la loi naturelle...
Puis, par souci du naturel, Montesquieu supprima cette addition et donna la parole à Ibben, dans une réponse réfutant les idées d'Usbek. C'est la *Lettre* **77**, parue dans le *Supplément* de l'édition de 1754.
Revenant sur le problème du suicide dans *l'Esprit des lois* (XIV, 12), Montesquieu expliquera la fréquence des suicides en Angleterre par des causes physiques. Le *Journal de Trévoux* lui reprochera violemment d'excuser le suicide comme une maladie due au climat.
① Étudier le style de la *Lettre* **76**. Analyser dans cette lettre la conception du bonheur et la définition de la liberté.

---

1. Irritations. — 2. Avril.

LETTRE 78

RICA A USBEK
A ***

Je t'envoie la copie d'une lettre qu'un Français qui est
en Espagne a écrite ici : je crois que tu seras bien aise de
la voir.

« Je parcours depuis six mois l'Espagne et le Portugal,
» et je vis parmi des peuples qui, méprisant tous les autres,   5
» font aux seuls Français l'honneur de les haïr.

» La gravité est le caractère brillant des deux nations;
» elle se manifeste principalement de deux manières : par
» les lunettes [1] et par la moustache [2].

» Les lunettes font voir démonstrativement [3] que celui   10
» qui les porte est un homme consommé [4] dans les sciences
» et enseveli dans de profondes lectures, à un tel point que
» sa vue en est affaiblie; et tout nez qui en est orné ou chargé
» peut passer, sans contredit, pour le nez d'un savant.

» Quant à la moustache, elle est respectable par elle-   15
» même, et indépendamment des conséquences; quoiqu'on
» ne laisse pas [5] quelquefois d'en tirer de grandes utilités
» pour le service du Prince et l'honneur de la Nation,

● **La bizarrerie de l'honneur chez les Espagnols** (*Lettre* **78**)

  ① Rapprocher cette lettre de *l'Esprit des lois* (XIX, 9) :
*L'orgueil d'un Espagnol le portera à ne pas travailler; la vanité d'un
Français le portera à savoir travailler mieux que les autres [...].
Toute nation paresseuse est grave, car ceux qui ne travaillent pas
se regardent comme souverains de ceux qui travaillent; il y a plusieurs
endroits de la terre où on se laisse croître les ongles pour marquer
que l'on ne travaille point.*
Montesquieu estime que cette paresse orgueilleuse conduit
l'Espagne à la décadence et à la ruine.

---

1. En France, les lorgnons attachés au cou par un ruban étaient alors à la mode. —
  Abandonnée au début du XVIIIᵉ siècle. — 3. De façon convaincante. — 4. D'une
abileté éprouvée. — 5. *Quoiqu'on ne* manque *pas.*

 » comme le fit bien voir un fameux général portugais [1] dans
20 » les Indes [2] : car, se trouvant avoir besoin d'argent, il
 » coupa une de ses moustaches et envoya demander aux
 » habitants de Goa vingt mille pistoles sur ce gage ; elles lui
 » furent prêtées d'abord, et, dans la suite, il retira sa
 » moustache avec honneur.

. . . .

25 » Il faut savoir que lorsqu'un homme a un certain
 » mérite en Espagne [...], il ne travaille plus : son
 » honneur s'intéresse au repos de ses membres. Celui
 » qui reste assis dix heures par jour obtient précisément
 » la moitié plus de considération qu'un autre qui n'en
30 » reste que cinq, parce que c'est sur les chaises que la
 » noblesse s'acquiert.
 » Mais, quoique ces invincibles ennemis du travail fassent
 » parade d'une tranquillité philosophique, ils ne l'ont pour-
 » tant pas dans le cœur : car ils sont toujours amoureux.
35 » Ils sont les premiers hommes du monde pour mourir de
 » langueur sous la fenêtre de leurs maîtresses, et tout Espa-
 » gnol qui n'est pas enrhumé [3] ne saurait passer pour
 » galant [4].

. . . .

 » Les Espagnols qu'on ne brûle pas paraissent si attachés
40 » à l'Inquisition, qu'il y aurait de la mauvaise humeur [5]
 » de la leur ôter. Je voudrais seulement qu'on en établît
 » une autre, non pas contre les hérétiques, mais contre les
 » hérésiarques [6] qui attribuent à de petites pratiques mona-
 » cales la même efficacité qu'aux sept sacrements, qui
45 » adorent tout ce qu'ils vénèrent, et qui sont si dévots
 » qu'ils sont à peine Chrétiens.

. . . .

De Paris, le 17 de la lune de Saphar [7], 1715.

---

1. Jean de Castro, vice-roi des Indes Portugaises, mort à Goa en 1548. — 2. *Inde*
orientales. — 3. A force de donner des sérénades nocturnes. — 4. Bien élevé. —
5. Volonté de les chagriner. — 6. Auteurs d'une *hérésie*. — 7. Avril.

Le Grand-Eunuque Noir annonce à Usbek l'achat d'une Circassienne[1] (Lettre **79**).

LETTRE 80

USBEK A RHÉDI
A VENISE

Depuis que je suis en Europe, mon cher Rhédi, j'ai vu bien des gouvernements[2] : ce n'est pas comme en Asie, où les règles de la politique se trouvent partout les mêmes.

J'ai souvent recherché quel était le gouvernement le plus conforme à la raison. Il m'a semblé que le plus parfait est celui qui va à son but à moins de frais; de sorte que celui qui conduit les hommes de la manière qui convient le plus à leur penchant et à leur inclination est le plus parfait.

Si, dans un gouvernement doux, le Peuple est aussi soumis que dans un gouvernement sévère, le premier est préférable, puisqu'il est plus conforme à la raison, et que la sévérité est un motif étranger[3].

Compte[4], mon cher Rhédi, que dans un État, les peines plus ou moins cruelles ne font pas que l'on obéisse plus aux lois. Dans les pays où les châtiments sont modérés, on les craint comme dans ceux où ils sont tyranniques et affreux.

● **Un gouvernement doux ou sévère ?** (*Lettre* **80**)

Montesquieu établit une relation entre la douceur ou la gravité des peines et le degré de liberté dont jouit un peuple.

① Quelles sont les deux lois de la politique criminelle, concernant la juste proportion des peines et leur gravité, formulées implicitement dans cette *Lettre*?

② Rapprocher cette *Lettre* de *l'Esprit des lois* (VI, 12 et 16).

---

1. Originaire du nord du Caucase. — 2. Régimes politiques. — 3. *Étranger* à la raison. — 4. Sois sûr.

Soit que le gouvernement soit doux, soit qu'il soit
20 cruel, on punit toujours par degrés : on inflige un châtiment plus ou moins grand à un crime plus ou moins
grand. L'imagination se plie d'elle-même aux mœurs du
pays où l'on est : huit jours de prison ou une légère amende
frappent autant l'esprit d'un Européen, nourri dans un pays
25 de douceur, que la perte d'un bras intimide un Asiatique.
Ils attachent un certain degré de crainte à un certain degré
de peine, et chacun le partage à sa façon : le désespoir de
l'infamie vient désoler un Français condamné à une peine
qui n'ôterait pas un quart d'heure de sommeil à un Turc.
30 D'ailleurs je ne vois pas que la police, la justice et
l'équité soient mieux observées en Turquie, en Perse,
chez le Mogol[1], que dans les républiques de Hollande,
de Venise, et dans l'Angleterre même[2], je ne vois pas
qu'on y commette moins de crimes, et que les hommes,
35 intimidés par la grandeur des châtiments, y soient plus
soumis aux lois.

Je remarque, au contraire, une source d'injustice et de
vexations au milieu de ces mêmes États.

Je trouve même le Prince, qui est la Loi même, moins
40 maître que partout ailleurs.

Je vois que, dans ces moments rigoureux[3], il y a toujours
des mouvements tumultueux, où personne n'est le Chef,
et que, quand une fois l'autorité violente est méprisée,
il n'en reste plus assez à personne pour la faire revenir;
45 Que le désespoir même de l'impunité[4] confirme le
désordre et le rend plus grand;

Que, dans ces États, il ne se forme point de petite révolte,
et qu'il n'y a jamais d'intervalle entre le murmure et la
sédition;
50 Qu'il ne faut point que les grands événements y soient
préparés par de grandes causes; au contraire, le moindre
accident produit une grande révolution, souvent aussi
imprévue de ceux qui la font, que de ceux qui la souffrent.

Lorsqu'Osman[5], empereur des Turcs, fut déposé, aucun
55 de ceux qui commirent cet attentat ne songeait à le commettre : ils demandaient seulement en suppliants qu'on
leur fît justice sur quelque grief; une voix, qu'on n'a

1. Souverain des Mongols; voir p. 102, note 8. — 2. L'adverbe révèle la sympathie de
Montesquieu pour l'Angleterre. — 3. Où on emploie la *rigueur*. — 4. La certitude que l'on
sera puni. — 5. Osman II, étranglé en 1622.

jamais connue, sortit de la foule par hasard, le nom de
Mustapha [1] fut prononcé, et soudain Mustapha fut empereur.   60

> De Paris, le 2 de la lune de Rebiab [2] 1, 1715.

Nargum, envoyé de Perse en Moscovie, adresse à Usbek
un éloge enthousiaste des Tartares (Lettre **81***). Rica s'étonne*
de trouver dans la société parisienne tant de gens « qui
savent parler sans rien dire » (Lettre **82***).*

LETTRE 83

USBEK A RHÉDI
A VENISE

S'il y a un Dieu, mon cher Rhédi, il faut nécessairement
qu'il soit juste : car, s'il ne l'était pas, il serait le plus
mauvais et le plus imparfait de tous les êtres.

La justice est un rapport de convenance, qui se trouve
réellement entre deux choses; ce rapport est toujours le   5
même, quelque être qui le considère, soit que ce soit Dieu,
soit que ce soit un ange, ou enfin que ce soit un homme.

Il est vrai que les hommes ne voient pas toujours ces
rapports; souvent même, lorsqu'ils les voient, ils s'en
éloignent; et leur intérêt est toujours ce qu'ils voient le   10
mieux. La Justice élève sa voix; mais elle a peine à se faire
entendre dans le tumulte des passions.

Les hommes peuvent faire des injustices, parce qu'ils
ont intérêt de les commettre [3], et qu'ils préfèrent leur propre
satisfaction à celle des autres. C'est toujours par un   15
retour sur eux-mêmes qu'ils agissent : nul n'est mauvais
gratuitement [4]. Il faut qu'il y ait une raison qui détermine,
et cette raison est toujours une raison d'intérêt.

Mais il n'est pas possible que Dieu fasse jamais rien
d'injuste; dès qu'on suppose qu'il voit la Justice, il faut   20
nécessairement qu'il la suive, car, comme il n'a besoin de

---

1. Mustapha Ier, emprisonné par son prédécesseur. — 2. Mai. — 3. A *les commettre*.
— 4. Sans motif.

rien, et qu'il se suffit à lui-même, il serait le plus méchant de tous les êtres, puisqu'il le serait sans intérêt.

25 Ainsi, quand il n'y aurait pas de Dieu, nous devrions toujours aimer la Justice; c'est-à-dire faire nos efforts pour ressembler à cet être dont nous avons une si belle idée, et qui, s'il existait, serait nécessairement juste. Libres que nous serions du joug de la religion, nous ne devrions pas l'être de celui de l'Équité [1].

30 Voilà, Rhédi, ce qui m'a fait penser que la Justice est éternelle et ne dépend point des conventions humaines; et, quand elle en dépendrait, ce serait une vérité terrible, qu'il faudrait se dérober à soi-même.

Nous sommes entourés d'hommes plus forts que nous;
35 ils peuvent nous nuire de mille manières différentes; les trois quarts du temps ils peuvent le faire impunément [2]. Quel repos pour nous de savoir qu'il y a dans le cœur de tous ces hommes un principe intérieur qui combat en notre faveur et nous met à couvert de leurs entreprises!
40 Sans cela nous devrions être dans une frayeur continuelle; nous passerions devant les hommes comme devant les lions, et nous ne serions jamais assurés un moment de notre bien, de notre honneur et de notre vie.

Toutes ces pensées m'animent contre ces docteurs [3] qui
45 représentent Dieu comme un être qui fait un exercice tyrannique de sa puissance; qui le font agir d'une manière dont nous ne voudrions pas agir nous-mêmes, de peur de l'offenser; qui le chargent de toutes les imperfections qu'il punit en nous, et, dans leurs opinions contradictoires, le
50 représentent tantôt comme un être mauvais, tantôt comme un être qui hait le mal et le punit.

Quand un homme s'examine, quelle satisfaction pour lui de trouver qu'il a le cœur juste! Ce plaisir, tout sévère qu'il est, doit le ravir : il voit son être autant au-dessus de
55 ceux qui ne l'ont pas, qu'il se voit au-dessus des tigres et des ours. Oui, Rhédi, si j'étais sûr de suivre toujours inviolablement cette Équité que j'ai devant les yeux, je me croirais le premier des hommes.

De Paris, le premier de la lune de Gemmadi [4] *1, 1715.*

---

1. Montesquieu suit d'assez près la doctrine des stoïciens sur la loi naturelle. — 2. Sans punition. — 3. Théologiens. — 4. Juillet, voir p. 25, n° 5.

Rica fait le récit d'une visite à l'Hôtel des Invalides[1]
(Lettre **84**) : « *J'aimerais autant avoir fait cet établisse-*
ment, si j'étais prince, que d'avoir gagné trois batailles : on
y trouve partout la main d'un grand monarque. Je crois que
c'est le lieu le plus respectable de la Terre. [...] *Je voudrais*
que les noms de ceux qui meurent pour la Patrie fussent
conservés dans les temples et écrits dans des registres qui
fussent comme la source de la gloire et de la noblesse. »

● « **S'il y a un Dieu...** » (p. 99, l. 1)

Ce serait une erreur de conclure de cette formule qu'aux yeux de
Montesquieu l'existence de Dieu est douteuse. Il veut dire que les
idées de raison et de justice sont inséparables de celle de Dieu : il
oserait presque dire qu'elles lui sont antérieures (Antoine Adam,
éd. critique des *Lettres persanes*, p. 215).

① Comparer la pensée de Montesquieu à celle de Voltaire dans
le *Discours sur l'homme* (1738) :

> C'est ainsi que le Dieu de justice et de paix
> Serait l'auteur de trouble et le dieu des forfaits.
> Les tristes partisans de ce dogme effroyable
> Diraient-ils rien de plus, s'ils adoraient le diable?

● « **La justice est un rapport de convenance** » (p. 99, l. 4)

Cette formule montre que l'essentiel du système de Montesquieu
est déjà formé dans son esprit. Pour lui, la justice est indépendante
de toute détermination concrète : c'est une règle supérieure de droit,
préexistant à toutes les lois positives :
Une chose n'est pas juste parce qu'elle est loi, mais elle doit être loi
parce qu'elle est juste (Mes pensées, II, 1906).
L'auteur [...] *fait voir que la Justice n'est pas dépendante des lois*
humaines, qu'elle est fondée sur l'existence et la sociabilité des êtres
humains, et non pas sur des dispositions ou volontés particulières
de ces êtres (Analyse du *Traité des Devoirs*, 1725).

② En quoi cette définition de la loi morale annonce-t-elle la définition célèbre des lois?
Les lois, dans la signification la plus étendue, sont les rapports
nécessaires qui dérivent de la nature des choses (l'Esprit des lois, I, 1).

③ Montrer la gravité et la noblesse d'esprit dont est empreinte cette
Lettre.

---

1. Commencé en 1670 et destiné à l'entretien d'invalides de guerre ou d'anciens mili-
aires retraités.

LETTRE 85

USBEK A MIRZA
A ISPAHAN

Tu sais, Mirza, que quelques ministres de Chah Soliman [1] avaient formé le dessein d'obliger tous les Arméniens [2] de Perse de quitter le royaume ou de se faire Mahométans [3], dans la pensée que notre empire serait toujours pollué [4]
5 tandis qu'il garderait dans son sein ces infidèles.

C'était fait de la grandeur persane, si, dans cette occasion, l'aveugle dévotion avait été écoutée.

On ne sait comment la chose manqua [5] : ni ceux qui firent la proposition, ni ceux qui la rejetèrent, n'en
10 connurent les conséquences; le hasard fit l'office de la raison et de la politique [6] et sauva l'Empire d'un péril plus grand que celui qu'il aurait pu courir de la perte d'une bataille et de la prise de deux villes.

En proscrivant les Arméniens, on pensa détruire en un
15 seul jour tous les négociants et presque tous les artisans du royaume. Je suis sûr que le grand Chah Abas [7] aurait mieux aimé se faire couper les deux bras que de signer un ordre pareil, et qu'en envoyant au Mogol [8] et aux autres rois des Indes ses sujets les plus industrieux il aurait cru leur donner
20 la moitié de ses États [9].

Les persécutions que nos Mahométans zélés [10] ont faites aux Guèbres [11] les ont obligés de passer en foule dans les Indes et ont privé la Perse de cette nation si appliquée au labourage [12], et qui seule, par son travail, était en état de
25 vaincre la stérilité de nos terres.

Il ne restait à la dévotion qu'un second coup à faire; c'était de ruiner l'industrie : moyennant quoi, l'Empire

---

1. Soliman II, shah de Perse (1666-1694), représente Louis XIV. Les ministres son Louvois et Noailles. — 2. Allusion aux protestants. — 3. C'est-à-dire catholiques. — 4. Profané. — 5. Échoua. L'anecdote est exacte. Le zèle religieux des ministres perse fut apaisé par une énorme somme d'argent. — 6. L'art de gouverner. — 7. Abbas 1er, dit le Grand, shah de 1587 à 1628, représente Henri IV. — 8. Le Grand Mogol régnai sur l'Asie centrale et le nord de l'Inde. — 9. Allusion à l'exode des protestants. — 10. L'expression vise l'Assemblée du Clergé. — 11. Sectateurs de Zoroastre et adora teurs du feu, ils durent émigrer de Perse lors de la conquête arabe (VIIe siècle). — 12. Allusion aux cultivateurs protestants.

tombait de lui-même [1], et, avec lui, par une suite nécessaire, cette même religion qu'on voulait rendre si florissante.

S'il faut raisonner sans prévention [2], je ne sais pas, Mirza, s'il n'est pas bon que dans un État il y ait plusieurs religions.

On remarque que ceux qui vivent dans des religions tolérées se rendent ordinairement plus utiles à leur patrie que ceux qui vivent dans la religion dominante; parce que, éloignés des honneurs, ne pouvant se distinguer que par leur opulence et leurs richesses, ils sont portés à acquérir

---

● **La tolérance religieuse** était à peu près inconnue au XVIIe siècle : la charité chrétienne commandait de libérer autrui, même par la force, du plus grand des malheurs, l'hérésie. La Bruyère, La Fontaine, Madame de Sévigné ont approuvé la Révocation de l'Édit de Nantes. Au XVIIIe siècle, la rigueur du pouvoir royal à l'égard des protestants se manifeste encore en 1724, par un édit condamnant aux galères à perpétuité les assistants aux assemblées protestantes, et à mort leur prédicateurs. On comprend dès lors la hardiesse de Montesquieu.

● **La Révocation de l'Édit de Nantes**
① Montrer que tous les faits évoqués par allusion s'appliquent à la politique religieuse de Louis XIV et à ses conséquences funestes.

● **Un plaidoyer pour la tolérance**
Après Bayle dans le *Commentaire philosophique*, Montesquieu justifie la coexistence de plusieurs religions dans un État et développe plusieurs arguments en faveur de la tolérance :
— Avantages économiques : les adeptes des religions tolérées, ne pouvant se distinguer que par la fortune, contribuent plus que personne à l'accroissement du capital national.
— Avantages politiques : pour sauvegarder leur liberté, les religions faibles numériquement ont intérêt à faire preuve d'une obéissance absolue au pouvoir royal.
— Avantages moraux : l'émulation entre les religions amène chacun de leurs adeptes à observer une conduite édifiante.
— Arguments humains : l'intolérance entraîne des guerres de religion; elle contredit la raison et la justice. Tous les philosophes du siècle affirmeront que les progrès de la raison universelle rendent définitivement impossibles les guerres religieuses : Voltaire, *Traité sur la Tolérance; Dictionnaire philosophique*, articles « Fanatisme », « Liberté de Penser », « Tolérance »; Diderot, *Encyclopédie*, articles « Paix », « Réfugiés ».
② Souligner la vigueur des mots et des expressions par lesquelles Montesquieu condamne le fanatisme religieux.

---

1. Le départ des protestants fut une des causes principales de la décadence économique française à la fin du XVIIe siècle. — 2. Sans idée préconçue.

par leur travail et à embrasser les emplois de la Société les
plus pénibles.

D'ailleurs, comme toutes les religions contiennent
40 des préceptes utiles à la Société, il est bon qu'elles soient
observées avec zèle. Or qu'y a-t-il de plus capable d'animer
ce zèle que leur multiplicité?

Ce sont des rivales qui ne se pardonnent rien. La jalousie
descend jusqu'aux particuliers : chacun se tient sur ses
45 gardes et craint de faire des choses qui déshonoreraient
son parti et l'exposeraient aux mépris et aux censures
impardonnables [1] du parti contraire.

Aussi a-t-on toujours remarqué qu'une secte nouvelle introduite dans un état était le moyen le plus sûr
50 pour corriger tous les abus de l'ancienne [2].

On a beau dire qu'il n'est pas de l'intérêt du Prince
de souffrir plusieurs religions dans son état [3] : quand toutes
les sectes du monde viendraient s'y rassembler, cela ne lui
porterait aucun préjudice, parce qu'il n'y en a aucune qui
55 ne prescrive l'obéissance et ne prêche la soumission.

J'avoue que les histoires sont remplies de guerres
de religion. Mais, qu'on y prenne bien garde : ce n'est
point la multiplicité des religions qui a produit ces guerres,
c'est l'esprit d'intolérance, qui animait celle qui se croyait
60 la dominante; c'est cet esprit de prosélytisme que les Juifs
ont pris des Égyptiens, et qui, d'eux, est passé, comme une
maladie épidémique et populaire [4], aux Mahométans et aux
Chrétiens; c'est, enfin, cet esprit de vertige, dont les progrès ne peuvent être regardés que comme une éclipse entière
65 de la raison humaine.

Car, enfin, quand il n'y aurait pas de l'inhumanité à
affliger [5] la conscience des autres; quand il n'en résulte-
rait aucun des mauvais effets qui en germent à milliers :
il faudrait être fou pour s'en [6] aviser. Celui qui veut me faire
70 changer de religion ne le fait sans doute que parce qu'il ne
changerait pas la sienne, quand on voudrait l'y forcer :
il trouve donc étrange que je ne fasse pas une chose qu'il
ne ferait pas lui-même peut-être pour l'empire du Monde.

De Paris, le 25 de la lune de Gemmadi [7] 1, 1715.

---

1. Qui ne comportent pas de pardon. — 2. Allusions à la Réforme (xvie siècle) et peut-être
à la Croisade des Albigeois (xiiie siècle). — 3. Argument d'ordre politique avancé par les
conseillers de Louis XIV : les protestants sont un obstacle permanent à l'unité de la nation. —
4. Contagieuse. — 5. Opprimer. — 6. D'affliger la conscience des autres. — 7. Juillet.

LETTRE 87

*RICA A ****

On dit que l'homme est un animal sociable. Sur ce pied-là, il me paraît qu'un Français est plus homme qu'un autre; c'est l'homme par excellence, car il semble être fait uniquement pour la société.

Mais j'ai remarqué parmi eux des gens qui non seule- [5] ment sont sociables, mais sont eux-mêmes la Société universelle. Ils se multiplient dans tous les coins; ils peuplent en un moment les quatre quartiers d'une ville. Cent hommes de cette espèce abondent plus[1] que deux mille citoyens; ils pourraient réparer aux yeux des étrangers les ravages [10] de la peste ou de la famine. On demande dans les Écoles[2], si un corps peut être en un instant en plusieurs lieux[3] : ils sont une preuve de ce que les philosophes mettent en question.

Ils sont toujours empressés, parce qu'ils ont l'affaire [15] importante de demander à tous ceux qu'ils voient, où ils vont, et d'où ils viennent.

On ne leur ôterait jamais de la tête qu'il est de[4] la bienséance de visiter chaque jour le public en détail, sans compter les visites qu'ils font en gros dans les lieux où l'on [20] s'assemble. Mais, comme la voie en est trop abrégée, elles sont comptées pour rien dans les règles de leur cérémonial.

Ils fatiguent plus les portes des maisons à coups de marteau[5], que les vents et les tempêtes. Si l'on allait examiner la liste de tous les portiers, on y trouverait chaque jour [25] leur nom estropié de mille manières en caractères suisses[6]. Ils passent leur vie à la suite d'un enterrement, dans des compliments[7] de condoléances ou dans des félicitations de mariage. Le Roi ne fait point de gratification à quelqu'un de ses sujets qu'il ne leur en coûte une voiture, pour lui en [30] aller témoigner leur joie. Enfin, ils reviennent chez eux, bien fatigués, se reposer pour pouvoir reprendre le lendemain leurs pénibles fonctions.

---

1. Tiennent plus de place. — 2. La Sorbonne. — 3. Allusion aux disputes scolastiques ur le don d'ubiquité. — 4. Que c'est le propre de... — 5. Heurtoir servant à frapper la orte. — 6. Les portiers étaient souvent d'origine suisse. — 7. Paroles de politesse.

Un d'eux mourut l'autre jour de lassitude, et on mit cette
35 épitaphe sur son tombeau : « C'est ici que repose celui qui
ne s'est jamais reposé. Il s'est promené à cinq cent trente
enterrements. Il s'est réjoui de la naissance de deux mille
six cent quatre-vingts enfants. Les pensions dont il a félicité
ses amis, toujours en des termes différents, montent à
40 deux millions six cent mille livres; le chemin qu'il a fait
sur le pavé à neuf mille six cents stades [1], celui qu'il a fait
dans la campagne à trente-six. Sa conversation était amusante : il avait un fonds tout fait de trois cent soixante-
cinq contes; il possédait, d'ailleurs, depuis son jeune
45 âge, cent dix-huit apophtegmes [2] tirés des Anciens, qu'il
employait dans les occasions brillantes. Il est mort enfin
à la soixantième année de son âge. Je me tais, Voyageur [3].
Car comment pourrais-je achever de te dire ce qu'il a fait
et ce qu'il a vu? »

De Paris, le 3 de la lune de Gemmadi [4] *2, 1715.*

LETTRE 88

USBEK A RHÉDI
A VENISE

A Paris règnent la liberté et l'égalité. La naissance, la
vertu, le mérite même de la guerre, quelque brillant
qu'il soit, ne sauve pas un homme de la foule dans laquelle
il est confondu. La jalousie des rangs y est inconnue. On
5 dit que le premier de Paris est celui qui a les meilleurs chevaux à son carrosse.

Un grand seigneur est un homme qui voit le Roi, qui
parle aux ministres, qui a des ancêtres, des dettes et des
pensions. S'il peut, avec cela, cacher son oisiveté par un
10 air empressé ou par un feint attachement pour les plaisirs,
il croit être le plus heureux de tous les hommes.

En Perse, il n'y a de grand que ceux à qui le Monarque
donne quelque part au gouvernement. Ici, il y a des gens
qui sont grands par leur naissance; mais ils sont sans

---

1. Mesure grecque équivalant à 180 mètres environ. — 2. Sentences. — 3. On trouve
fréquemment, dans les inscriptions funéraires antiques, une adresse au passant. — 4. Août

crédit [1]. Les rois font comme ces ouvriers habiles qui, pour [15]
exécuter leurs ouvrages, se servent toujours des machines
les plus simples [2].

La faveur est la grande Divinité des Français. Le Ministre
est le grand-prêtre, qui lui offre bien des victimes. Ceux
qui l'entourent [3] ne sont point habillés de blanc [4]; tantôt [20]
sacrificateurs et tantôt sacrifiés, ils se dévouent [5] eux-mêmes
à leur idole avec tout le Peuple.

De Paris, le 9 de la lune de Gemmadi [6] 2, 1715.

LETTRE 89

USBEK A IBBEN
A SMYRNE

Le désir de la gloire n'est point différent de cet instinct
que toutes les créatures ont pour leur conservation.
Il semble que nous augmentons notre être lorsque nous
pouvons le porter dans la mémoire des autres : c'est une
nouvelle vie que nous acquérons, et qui nous devient [5]
aussi précieuse que celle que nous avons reçue du Ciel.

Mais, comme tous les hommes ne sont pas également
attachés à la vie, ils ne sont pas aussi [7] également sensibles
à la gloire. Cette noble passion est bien toujours gravée
dans leur cœur; mais l'imagination et l'éducation la modi- [10]
fient de mille manières.

Cette différence, qui se trouve d'homme à homme,
se fait encore plus sentir de peuple à peuple.

On peut poser pour maxime que, dans chaque état, le
désir de la gloire croît avec la liberté des sujets et diminue [15]
avec elle : la gloire n'est jamais compagne de la servitude.

Un homme de bon sens me disait l'autre jour :

« On est, en France, à bien des égards, plus libre qu'en
Perse; aussi y aime-t-on plus la gloire. Cettte heureuse fantaisie [8] fait faire à un Français avec plaisir et avec goût [20]

---

1. Allusion à la politique constante de Louis XIV : écarter la noblesse des emplois
importants. — 2. Les bourgeois. Allusion à la composition et à la toute-puissance du
Conseil du Roi. — 3. La divinité. — 4. Couleur des victimes. — 5. S'immolent. — 6. Août.
— 7. Non plus. — 8. Bizarrerie.

ce que votre sultan n'obtient de ses sujets qu'en leur mettant
sans cesse devant les yeux les supplices et les récompenses.

» Aussi, parmi nous, le Prince est-il jaloux de [1] l'honneur
du dernier de ses sujets. Il y a pour le maintenir des tri-
25 bunaux respectables [2] : c'est le trésor sacré de la Nation, et
le seul dont le Souverain n'est pas le maître, parce qu'il ne
peut l'être, sans choquer ses intérêts. Ainsi, si un sujet se
trouve blessé dans son honneur par son prince, soit par
quelque préférence, soit par la moindre marque de mépris,
30 il quitte sur-le-champ sa cour, son emploi, son service, et
se retire chez lui.

» La différence qu'il y a des troupes françaises aux vôtres,
c'est que les unes, composées d'esclaves, naturellement
lâches, ne surmontent la crainte de la mort que par celle du
35 châtiment : ce qui produit dans l'âme un nouveau genre
de terreur qui la rend comme stupide [3] au lieu que les autres
se présentent aux coups avec délice et bannissent la crainte
par une satisfaction qui lui est supérieure.

» Mais le sanctuaire de l'honneur, de la réputation et
40 de la vertu, semble être établi dans les républiques et
dans les pays où l'on peut prononcer le mot de *Patrie*.
A Rome, à Athènes, à Lacédémone, l'honneur payait seul
les services les plus signalés. Une couronne de chêne ou
de laurier, une statue, un éloge, était une récompense
45 immense pour une bataille gagnée ou une ville prise.

» Là, un homme qui avait fait une belle action se trouvait suffisamment récompensé par cette action même.
Il ne pouvait voir un de ses compatriotes qu'il ne ressentît [4]
le plaisir d'être son bienfaiteur; il comptait le nombre de
50 ses services par celui de ses concitoyens. Tout homme est
capable de faire du bien à un homme; mais c'est ressembler
aux Dieux que de contribuer au bonheur d'une société
entière.

» Or cette noble émulation ne doit-elle point être
55 entièrement éteinte dans le cœur de vos Persans, chez
qui les emplois et les dignités ne sont que des attributs
de la fantaisie [5] du Souverain? La réputation et la vertu
y sont regardées comme imaginaires si elles ne sont accom-

---

1. Attentif à maintenir. — 2. Le Tribunal des maréchaux, chargé d'accorder les
querelles entre gentilshommes (cf. *Le Misanthrope*, II, 7) pour éviter les duels. —
3. Inerte. — 4. Sans ressentir. — 5. Dépendent du caprice.

pagnées de la faveur du Prince, avec laquelle elles naissent et meurent de même [1]. Un homme qui a pour lui l'estime [60] publique n'est jamais sûr de ne pas être déshonoré demain : le voilà aujourd'hui général d'armée [2], peut-être que le Prince le va faire son cuisinier, et qu'il ne lui laissera plus espérer d'autre éloge que celui d'avoir fait un bon ragoût. »

De Paris, le 15 de la lune de Gemmadi [3] 2, 1715.

LETTRE 90

USBEK AU MÊME
A SMYRNE

De cette passion générale que la nation française a pour la gloire, il s'est formé dans l'esprit des particuliers un certain je ne sais quoi, qu'on appelle *point d'honneur*. C'est proprement le caractère [4] de chaque profession; mais il est plus marqué chez les gens de guerre, et c'est [5] le point d'honneur par excellence. Il me serait bien difficile

---

● **Ébauche de la théorie de l'honneur** (*Lettres* **89** *et* **90**)

Selon l'auteur des *Lettres persanes*, l'honneur serait le ressort de la monarchie française. Mais la distinction entre l'honneur et la vertu n'est pas encore très nette dans son esprit, puisque, dans la *Lettre* **89**, il regarde les républiques « *où l'on peut prononcer le nom de* Patrie » (l. 41), Rome, Athènes et Lacédémone, comme le sanctuaire de l'honneur, de la réputation et de la vertu; il montre que les citoyens y étaient vertueux par amour de la gloire.

La *Lettre* **90** distingue l'honneur et le point d'honneur. Le premier pousse à des actes utiles à la société tout entière; le second ne se préoccupe que des intérêts particuliers d'une catégorie sociale.

① Mettre en relief l'observation morale et satirique. Montrer que pourtant Montesquieu étudie le désir de la gloire plus en sociologue qu'en moraliste.

② Où apparaissent l'ironie malicieuse de l'auteur et son art de travestir la critique des hommes et des habitudes?

③ Comparer les réflexions sur le duel judiciaire et la formation du point d'honneur en France à la théorie exposée dans *l'Esprit des lois* (XXVIII, 18 à 27).

---

1. De la même façon. — 2. Allusion à la disgrâce de Catinat en 1701. — 3. Août. — 4. Trait distinctif.

de te faire sentir ce que c'est : car nous n'en avons point
précisément d'idée.

10   Autrefois, les Français, surtout les nobles, ne suivaient
guère d'autres lois que celles de ce point d'honneur : elles
réglaient toute la conduite de leur vie et elles étaient si
sévères qu'on ne pouvait, sans une peine plus cruelle que la
mort, je ne dis pas les enfreindre, mais en éluder la plus
petite disposition.

15   Quand il s'agissait de régler les différends, elles ne
prescrivaient guère qu'une manière de décision, qui était
le duel, qui tranchait toutes les difficultés. Mais ce qu'il
y avait de mal, c'est que souvent le jugement se rendait
entre d'autres parties que celles qui y étaient intéressées.

20   Pour peu qu'un homme fût connu d'un autre, il fallait
qu'il entrât dans la dispute, et qu'il payât de sa personne,
comme s'il avait été lui-même en colère [1]. Il se sentait toujours honoré d'un tel choix et d'une préférence si flatteuse;
et tel qui n'aurait pas voulu donner quatre pistoles [2] à un

25   homme pour le sauver de la potence, lui et toute sa famille,
ne faisait aucune difficulté d'aller risquer pour lui mille
fois sa vie.

Cette manière de décider [3] était assez mal imaginée :
car, de ce qu'un homme était plus adroit ou plus fort

30   qu'un autre, il ne s'ensuivait pas qu'il eût de meilleures
raisons.

Aussi les rois l'ont-ils défendue sous des peines très
sévères [4]; mais c'est en vain : l'Honneur, qui veut toujours régner, se révolte, et il ne reconnaît point de lois.

35   Ainsi les Français sont dans un état bien violent : car les
mêmes lois de l'Honneur obligent un honnête homme de [5]
se venger quand il a été offensé; mais, d'un autre côté, la
justice le punit des plus cruelles peines lorsqu'il se venge.
Si l'on suit les lois de l'Honneur, on périt sur un échafaud [6];

40   si l'on suit celles de la justice, on est banni pour jamais de
la société des hommes. Il n'y a donc que cette cruelle alter-
native, ou de mourir, ou d'être indigne de vivre.

De Paris, le 18 de la lune de Gemmadi [7] *2, 1715.*

---

1. Les seconds des duellistes se battaient entre eux. — 2. Une pistole valait dix livres
(salaire de six journées de travail d'un ouvrier environ). — 3. Trancher. — 4. La première interdiction date de Saint Louis. Poursuivant la politique de Richelieu, un édit
de Louis XIV (1679) punit les duellistes de mort. — 5. Aujourd'hui : *obligent* à...
— 6. Allusion à l'exécution de Montmorency-Bouteville sous Louis XIII. — 7. Août.

LETTRE 91

USBEK A RUSTAN
A ISPAHAN

Il paraît [1] ici un personnage, travesti en ambassadeur de Perse, qui se joue insolemment des deux plus grands rois du Monde [2]. Il apporte au monarque des Français des présents que le nôtre ne saurait donner à un roi d'Irimette [3] ou de Géorgie [3], et, par sa lâche avarice [4], il a flétri la majesté des deux empires. [5]

Il s'est rendu ridicule devant un peuple qui prétend être le plus poli de l'Europe, et il a fait dire en Occident que le Roi des Rois ne domine que sur des barbares [5].

Il a reçu des honneurs qu'il semblait avoir voulu se faire refuser lui-même, et, comme si la cour de France avait eu plus à cœur la grandeur persane que lui, elle l'a fait paraître avec dignité devant un peuple dont il est le mépris. [10]

Ne dis point ceci à Ispahan : épargne la tête d'un malheureux [6]. Je ne veux pas que nos ministres le punissent de leur propre imprudence et de l'indigne choix qu'ils ont fait. [15]

De Paris, le dernier de la lune de Gemmadi [7] 2, 1715.

LETTRE 92

USBEK A RHÉDI
A VENISE

Le monarque qui a si longtemps régné n'est plus [8]. Il a bien fait parler des gens [9] pendant sa vie ; tout le monde s'est tu à sa mort. Ferme et courageux dans ce dernier moment, il a paru ne céder qu'au Destin. Ainsi mourut

1. On voit. — 2. Allusion à la venue en 1715 d'un ambassadeur du shah, Méhémet Riza bey, que les contemporains, comme Montesquieu et Saint-Simon, prirent pour un imposteur, à tort d'ailleurs. — 3. Sultanats du Caucase dépendant alors de la Perse. L'*Irimette* ou Imérithie est limitrophe de la *Géorgie*. — 4. Les présents offerts à Louis XIV apparaissaient dérisoires. — 5. A cause de ses allures excentriques. — 6. L'ambassadeur, après avoir vendu en route les cadeaux de Louis XIV, s'empoisonna. — 7. Août. — 8. Louis XIV est mort le 1er septembre 1715. — 9. *Il a fait parler* bien *des gens.*

⁵   le grand Chah Abas ¹, après avoir rempli toute la Terre de
    son nom.
       Ne crois pas que ce grand événement n'ait fait faire ici
    que des réflexions morales. Chacun a pensé à ses affaires
    et à prendre ses avantages dans ce changement. Le Roi,
¹⁰ arrière-petit-fils du monarque défunt, n'ayant que cinq ans,
    un prince, son oncle ², a été déclaré régent du Royaume.
       Le feu roi avait fait un testament qui bornait l'autorité
    du Régent. Ce prince habile a été au Parlement, et, y expo-
    sant tous les droits de sa naissance, il a fait casser la dispo-
¹⁵ sition du Monarque ³, qui, voulant se survivre à lui-même,
    semblait avoir prétendu régner encore après sa mort.
       Les parlements ressemblent à ces ruines que l'on foule
    aux pieds, mais qui rappellent toujours l'idée de quelque
    temple fameux par l'ancienne religion des peuples. Ils ne
²⁰ se mêlent guère plus que de rendre la justice, et leur auto-
    rité est toujours languissante, à moins que quelque conjonc-
    ture imprévue ne vienne lui rendre la force et la vie. Ces
    grands corps ont suivi le destin des choses humaines :
    ils ont cédé au temps, qui détruit tout, à la corruption des
²⁵ mœurs, qui a tout affaibli, à l'autorité suprême, qui a tout
    abattu.
       Mais le Régent, qui a voulu se rendre agréable au Peuple,
    a paru d'abord ⁴ respecter cette image de la liberté publique ;
    et, comme s'il avait pensé à relever de terre le temple
³⁰ et l'idole, il a voulu qu'on les regardât comme l'appui de
    la Monarchie et le fondement de toute autorité légitime.

          De Paris, le 4 de la lune de Rhegeb ⁵, 1715.

● **Montesquieu et les Parlements** (*Lettre* **92**)

   Parlementaire lui-même, Montesquieu a toujours considéré que les
   Parlements, indépendamment de leur rôle judiciaire, étaient les
   dépositaires des lois fondamentales de la monarchie française
   (cf. *l'Esprit des lois*, II, 4). Leurs pouvoirs distincts limitent la
   puissance du monarque et sauvegardent les sujets de l'arbitraire.

   ① Montrer que Montesquieu est sans illusion sur l'autorité réelle
   des Parlements.

---

1. *Abbas* le Grand (chah de 1587 à 1628) eut, comme Louis XIV, le goût de la grandeur
et du faste. — 2. Philippe, duc d'Orléans (1674-1723). — 3. Dès le 2 septembre, le Régent
obtint du Parlement la cassation du testament de Louis XIV. — 4. Immédiatement. —
5. Septembre.

Usbek donne à son frère, « Santon[1] au monastère de
Casbin », son avis sur les premiers anachorètes (Lettre **93**),
puis aborde la corruption du droit public dans les rapports
des peuples entre eux (Lettre **94**) : « On dirait, Rhédi, qu'il
y a deux justices toutes différentes : l'une qui règle les
affaires des particuliers, qui règne dans le droit civil ; l'autre
qui règle les différends qui surviennent de peuple à peuple,
qui tyrannise dans le droit public : comme si le droit public[2]
n'était pas lui-même un droit civil, non pas à la vérité d'un
pays particulier, mais du monde. »

LETTRE 95

USBEK AU MÊME

Les magistrats doivent rendre la justice de citoyen
à citoyen. Chaque peuple la doit rendre lui-même de
lui à un autre peuple. Dans cette seconde distribution
de justice, on ne peut employer d'autres maximes que
dans la première.   5

De peuple à peuple, il est rarement besoin de tiers
pour juger, parce que les sujets de disputes sont presque
toujours clairs et faciles à terminer[3]. Les intérêts de deux
nations sont ordinairement si séparés qu'il ne faut qu'aimer
la justice pour la trouver ; on ne peut guère se prévenir[4] 10
dans sa propre cause.

Il n'en est pas de même des différends qui arrivent
entre particuliers. Comme ils vivent en société, leurs intérêts sont si mêlés et si confondus, il y en a de tant de sortes
différentes, qu'il est nécessaire qu'un tiers débrouille ce 15
que la cupidité des parties cherche à obscurcir.

Il n'y a que deux sortes de guerres justes : les unes qui

---

1. Moine mahométan. — 2. Usbek vient de s'indigner (lettre 93) contre les théories de
Machiavel : « Ce droit, tel qu'il est aujourd'hui, est une science qui apprend aux princes
jusqu'à quel point ils peuvent violer la justice sans choquer leurs intérêts. Quel dessein, Rhédi, de vouloir, pour endurcir leur conscience, mettre l'iniquité en système, d'en
donner des règles, d'en former des principes et d'en tirer des conséquences ! » —
3. Résoudre. — 4. Se laisser influencer par des idées préconçues.

se font pour repousser un ennemi qui attaque; les autres,
pour secourir un allié qui est attaqué.

20   Il n'y aurait point de justice de [1] faire la guerre pour
des querelles particulières du Prince [2], à moins que le cas
ne fût si grave qu'il méritât la mort du prince ou du peuple
qui l'a commis. Ainsi un prince ne peut faire la guerre
parce qu'on lui a refusé un honneur qui lui est dû, ou parce
25   qu'on aura eu quelque procédé peu convenable à l'égard
de ses ambassadeurs, et autres choses pareilles [3]; non plus
qu'un particulier ne peut tuer celui qui lui refuse la pré-
séance. La raison en est que, comme la déclaration de
guerre doit être un acte de justice, dans laquelle il faut tou-
30   jours que la peine soit proportionnée à la faute, il faut voir
si celui à qui on déclare la guerre mérite la mort : car faire la
guerre à quelqu'un, c'est vouloir le punir de mort.

Dans le droit public, l'acte de justice le plus sévère,
c'est la guerre; puisqu'elle peut avoir l'effet de détruire
35   la Société.

Les représailles sont du second degré. C'est une loi que
les tribunaux n'ont pu s'empêcher d'observer, de mesurer
la peine par le crime.

Un troisième acte de justice est de priver un prince
40   des avantages qu'il peut tirer de nous, proportionnant [4]
toujours la peine à l'offense.

Le quatrième acte de justice, qui doit être le plus fré-
quent, est la renonciation à l'alliance du peuple dont on
a à se plaindre. Cette peine répond à celle du bannissement,
45   que les tribunaux ont établie pour retrancher [5] les coupables
de la Société. Ainsi un prince à l'alliance duquel nous
renonçons est retranché de notre Société et n'est plus un
des membres qui la composent.

On ne peut pas faire de plus grand affront à un prince
50   que de renoncer à son alliance, ni lui faire de plus grand
honneur que de la contracter. Il n'y a rien parmi les hommes
qui leur soit plus glorieux et même plus utile que d'en voir
d'autres toujours attentifs à leur conservation.

Mais, pour que l'alliance nous lie, il faut qu'elle soit
55   juste : ainsi une alliance faite entre deux nations pour en

---

1. Aujourd'hui : à *faire*. — 2. Critique des guerres menées par Louis XIV. —
3. Allusion à l'attachement de Louis XIV aux préséances. — 4. En *proportionnant*. —
5. Éliminer.

opprimer une troisième n'est pas légitime, et on peut la violer sans crime.

Il n'est pas même de l'honneur et de la dignité du Prince de s'allier avec un tyran. On dit qu'un monarque d'Égypte[1] fit avertir le roi de Samos[2] de sa cruauté et de sa tyrannie, et le somma de s'en corriger. Comme il ne le fit pas, il lui envoya dire qu'il renonçait à son amitié et à son alliance.

La conquête ne donne point un droit par elle-même : lorsque le Peuple subsiste, elle est un gage de la paix et de la réparation du tort; et, si le Peuple est détruit ou dispersé, elle est le monument[3] d'une tyrannie.

Les traités de paix sont si sacrés parmi les hommes qu'il semble qu'ils soient la voix de la Nature, qui réclame ses droits. Ils sont tous légitimes lorsque les conditions en sont telles que les deux peuples peuvent se conserver; sans quoi, celle des deux sociétés qui doit périr, privée de sa défense naturelle par la paix, la peut chercher dans la guerre.

● **La justice et la guerre**

Montesquieu s'exprime en moraliste plus qu'en sociologue, puisqu'il distingue les guerres injustes, « fondées sur des principes arbitraires de gloire, de bienséance, d'utilité » (*Esprit des lois*, X, 2), et les guerres justes, fondées sur la légitime défense contre une agression. Il admet, dans *l'Esprit des lois*, une troisième guerre juste, la guerre préventive, contre laquelle Voltaire proteste avec indignation dans son *Dictionnaire philosophique* (Article « Guerre », addition de 1771) :

Le célèbre Montesquieu, qui passait pour humain, a pourtant dit qu'il est juste de porter le fer et la flamme chez ses voisins, dans la crainte qu'ils ne fassent trop bien leurs affaires. Si c'est là l'esprit des lois, c'est celui des lois de Borgia et de Machiavel.

① Montrer que l'esprit positif de Montesquieu est en défaut puisque, dans l'étude des faits, il doit utiliser des exemples historiques de guerres d'agression fondées sur l'orgueil et l'ambition, mais cherche à les soumettre aux mêmes lois que les guerres de légitime défense.

② Mettre en relief la gradation des « actes de justice » prévus dans cette ébauche de Droit international.

③ A quels principes Montesquieu fait-il appel pour traiter des droits du vainqueur à l'égard du peuple vaincu?

---

1. Amasis. — 2. Polycrate, tyran de Samos. — 3. Le signe distinctif.

Car la Nature, qui a établi les différents degrés de force et
de faiblesse parmi les hommes, a encore souvent égalé la
75 faiblesse à la force par le désespoir.

Voilà, cher Rhédi, ce que j'appelle le droit public.
Voilà le droit des gens, ou plutôt celui de la raison.

De Paris, le 4 de la lune de Zilhagé [1], *1716.*

*Le premier eunuque apprend à Usbek l'achat d'une femme
jaune et explique à son maître qu'il devrait rapidement
revenir en Perse* (Lettre **96**).

LETTRE 97

USBEK A HASSEIN
DERVIS [2] DE LA MONTAGNE DE JARON [3]

O toi, sage Dervis, dont l'esprit curieux brille de tant
de connaissances, écoute ce que je vais te dire.

Il y a ici des philosophes qui, à la vérité, n'ont point
atteint jusqu'au faîte de la sagesse orientale : ils n'ont point
5 été ravis [4] jusqu'au trône lumineux ; ils n'ont ni entendu les
paroles ineffables dont les concerts des anges retentissent,
ni senti les formidables [5] accès d'une fureur divine ; mais,
laissés à eux-mêmes, privés des saintes merveilles, ils suivent
dans le silence les traces de la raison humaine.

10 Tu ne saurais croire jusqu'où ce guide les a conduits.
Ils ont débrouillé le Chaos et ont expliqué, par une mécanique simple, l'ordre de l'architecture divine. L'auteur de
la nature a donné du mouvement à la matière [6] : il n'en a pas
fallu davantage pour produire cette prodigieuse variété
15 d'effets que nous voyons dans l'Univers [7].

Que les législateurs ordinaires nous proposent des
lois pour régler les sociétés des hommes ; des lois aussi
sujettes au changement que l'esprit de ceux qui les pro-

---

1. Février. — 2. Voir p. 48, note 1. — 3. Ou Djaroun, ville de Perse dans la province
de *Jars*. — 4. Emportés. — 5. Redoutables. — 6. Théorie exposée par Leibniz dans sa
Monadologie. — 7. Explication par la mécanique cartésienne.

posent, et des peuples qui les observent [1]! Ceux-ci ne nous
parlent que des lois générales, immuables, éternelles, qui [20]
s'observent sans aucune exception avec un ordre, une régu-
larité et une promptitude infinie, dans l'immensité des
espaces [2].

Et que crois-tu, Homme divin, que soient ces lois? Tu
t'imagines peut-être qu'entrant dans le conseil de l'Éternel [25]
tu vas être étonné par la sublimité des mystères; tu renonces
par avance à comprendre, tu ne te proposes que d'admirer.

Mais tu changeras bientôt de pensée : elles n'éblouissent
point par un faux respect [3]; leur simplicité les a fait longtemps méconnaître, et ce n'est qu'après bien des réflexions [30]
qu'on a vu toute la fécondité et toute l'étendue.

La première [4] est que tout corps tend à décrire une ligne
droite, à moins qu'il ne rencontre quelque obstacle qui
l'en détourne [5]; et la seconde, qui n'en est qu'une suite,
c'est que tout corps qui tourne autour d'un centre tend à
s'en éloigner, parce que, plus il en est loin, plus la ligne qu'il
décrit approche de la ligne droite [6].

Voilà, sublime Dervis, la clef de la nature; voilà des
principes féconds, dont on tire des conséquences à perte
de vue. [40]

● **L'éloge des philosophes** (*Lettre 97*)

Ce terme s'applique ici aux savants tout autant qu'aux moralistes. Le philosophe se méfie des traditions, repousse les miracles,
et s'attache uniquement à la raison et à l'expérience. Sa raison
subordonne toutes les formes de la connaissance à la logique et à
l'observation attentive et objective. Le philosophe suit la règle
scientifique formulée par Fontenelle (*Histoire des oracles*, « La
dent d'or »), après Descartes : « Assurons-nous bien du fait, avant
de nous inquiéter de la cause. »

① Que peut-on penser du commentaire de l'abbé Gautier (*Les
« Lettres persanes » convaincues d'impiété*, p. 49) :
*C'est-à-dire que Descartes, Newton et les philosophes modernes ont
raisonné mieux que Moïse sur la structure de l'Univers, d'où l'auteur
laisse à penser que la raison humaine est un guide plus sûr que la
Révélation.*
Comment Antoine Adam peut-il comparer (Éd. critique des
Lettres persanes, Introduction, p. XXIV) l'abbé Gautier au « ridi-
cule mollak Méhémet-Hali » dans la XVIIIe Lettre (voir p. 40)?

---

1. S'y conforment. — 2. Application de la mécanique au mouvement des astres. —
3. *Un respect* injustifié. — 4. Des lois scientifiques. — 5. Principe d'inertie, dû à
Descartes. — 6. Référence aux travaux de Huygens et de Newton sur la force
centrifuge dans un mouvement circulaire.

La connaissance de cinq ou six vérités a rendu leur
philosophie pleine de miracles et leur a fait faire presque
autant de prodiges et de merveilles que tout ce qu'on nous
raconte de nos saints prophètes.

45   Car, enfin, je suis persuadé qu'il n'y a aucun de nos
docteurs qui n'eût été embarrassé si on lui eût dit de peser
dans une balance tout l'air qui est autour de la Terre [1], ou de
mesurer toute l'eau qui tombe chaque année sur sa surface [2],
et qui n'eût pensé plus de quatre fois avant de dire combien
50   de lieues le son fait dans une heure [3], quel temps un rayon
de lumière emploie à venir du Soleil à nous [4]; combien de
toises il y a d'ici à Saturne [5]; quelle est la courbe selon
laquelle un vaisseau doit être taillé pour être le meilleur
voilier qu'il soit possible [6].

55   Peut-être que, si quelque homme divin avait orné les
ouvrages de ces philosophes de paroles hautes et sublimes;
s'il y avait mêlé des figures [7] hardies et des allégories mystérieuses il aurait fait un bel ouvrage, qui n'aurait cédé qu'au
saint Alcoran [8].

60   Cependant, s'il faut te dire ce que je pense, je ne m'ac-
commode guère du style figuré [9]. Il y a dans notre Alcoran
un grand nombre de petites choses qui me paraissent toujours telles, quoiqu'elles soient relevées par la force et la
vie de l'expression. Il semble d'abord que les livres inspirés
65   ne sont que les idées divines rendues en langage humain.
Au contraire, dans notre Alcoran, on trouve souvent le
langage de Dieu et les idées des hommes, comme si, par un
admirable [10] caprice, Dieu y avait dicté les paroles, et que
l'homme eût fourni les pensées.

70   Tu diras peut-être que je parle trop librement de ce
qu'il y a de plus saint parmi nous; tu croiras que c'est le
fruit de l'indépendance où l'on vit dans ce pays. Non,
grâce au Ciel, l'esprit n'a pas corrompu le cœur, et, tandis
que [11] je vivrai, Hali [12] sera mon prophète.

De Paris, *le 10 de la lune de Chahban* [13], *1716.*

---

1. Travaux de Mariotte (*Discours sur la nature de l'air*, 1679). — 2. L'anglais Hoske
effectua en 1695 les premières mesures sur les chutes de pluie. — 3. Recherches de
Gassendi (1636), puis Cassini et Huygens. En 1718, Montesquieu prononce à l'Académie sa *Dissertation sur la cause de l'écho*. — 4. Cette vitesse, infinie selon Descartes, a été
calculée par Römer en 1676. — 5. Mesure de Halley (1679). — 6. *Courbe* définie dans
le traité sur l'*Architecture Navale* de Dassié (1695). — 7. *Figures* de style. — 8. Allusion
à la *Bible*; voir p. 26, note 6. — 9. Voir p. 39, question 1. — 10. Surprenant. — 11. Aussi
longtemps *que*. — 12. Gendre de Mahomet. — 13. Octobre.

LETTRE 98

USBEK A IBBEN
A SMYRNE

Il n'y a point de pays au Monde où la fortune soit si inconstante que dans celui-ci. Il arrive tous les dix ans des révolutions [1] qui précipitent le riche dans la misère et enlèvent le pauvre, avec des ailes rapides, au comble des richesses. Celui-ci est étonné de sa pauvreté; celui-là l'est de son abondance. Le nouveau riche admire [2] la sagesse de la Providence; le pauvre, l'aveugle fatalité du Destin.

Ceux [3] qui lèvent les tributs [4] nagent au milieu des trésors : parmi eux, il y a peu de Tantales [5]. Ils commencent pourtant ce métier par la dernière misère; ils sont méprisés comme de la boue pendant qu'ils sont pauvres; quand ils sont riches, on les estime assez : aussi ne négligent-ils rien pour acquérir de l'estime.

Ils sont à présent dans une situation bien terrible. On vient d'établir une chambre qu'on appelle *de Justice* parce qu'elle va leur ravir tout leur bien. Ils ne peuvent ni détourner ni cacher leurs effets [6] : car on les oblige de les déclarer au juste [7], sous peine de vie. Ainsi on les fait passer par un défilé bien étroit : je veux dire entre la vie et leur argent. Pour comble d'infortune, il y a un ministre [8], connu par son esprit, qui les honore de ses plaisanteries et badine sur toutes les délibérations du Conseil... On ne trouve pas tous les jours des ministres disposés à faire rire le Peuple, et l'on doit savoir bon gré à celui-ci de l'avoir entrepris.

Le corps [9] des laquais est plus respectable en France qu'ailleurs; c'est un séminaire de grands seigneurs : il remplit le vide des autres états [10]. Ceux qui le composent prennent la place des grands [11] malheureux, des magistrats ruinés, des gentilshommes tués dans les fureurs de la guerre; et, quand ils ne peuvent pas suppléer par eux-

---

1. Bouleversements dans les fortunes privées. — 2. Regarde avec stupéfaction. — 3. Les fermiers généraux. — 4. Les impôts. — 5. Pour avoir servi à Jupiter les membres de son fils, Tantale fut condamné à une faim et une soif éternelles. Le nom désigne ici une ambition qui échoue au moment d'être satisfaite. — 6. Leurs avoirs. — 7. Exactement. — 8. Le duc de Noailles, président du *Conseil* (l. 22) des Finances de 1715 à 1718, dépeint par Saint-Simon et Voltaire comme spirituel et mordant. — 9. La corporation. — 10. Classes sociales. — 11. Le mot est ici un substantif.

mêmes, ils relèvent toutes les grandes maisons[1] par
le moyen de leurs filles, qui sont comme une espèce de
fumier[2] qui engraisse les terres montagneuses et arides.

35   Je trouve, Ibben, la Providence admirable dans la
manière dont elle a distribué les richesses : si elle ne les
avait accordées qu'aux gens de bien, on ne les aurait pas
assez distinguées de la vertu, et on n'en aurait plus senti
tout le néant. Mais, quand on examine qui sont les gens
qui en sont les plus chargés, à force de mépriser les riches,
40   on vient enfin à mépriser les richesses.

De Paris, le 26 de la lune de Maharram[3], 1717.

- **L'instabilité économique et financière** naît de la fréquence des
  bouleversements : Montesquieu pense aux crises monétaires, aux
  emprunts, aux divers expédients auxquels Louis XIV dut avoir
  recours et, plus encore au système de Law et à ses conséquences.
  La Chambre de justice instituée en mars 1716 devait dresser la
  liste des traitants (voir la *Lettre* **48**) et de leurs auxiliaires, puis
  recenser tous leurs biens, mobiliers et immobiliers. Elle prononça
  de lourdes peines, allant jusqu'à la mort, contre les auteurs de
  fausses déclarations, et confisqua deux septièmes des biens déclarés.

- **Le moraliste**
  Montesquieu reprend les critiques de Boileau (*Satires*, I et VIII)
  et de La Bruyère contre la fortune insolente des fermiers généraux.
  ① Comparer l'évocation faite par Usbek aux portraits de Sosie,
  Arfure, Crésus, Champagne, Sylvain, Dorus, Périandre (*Caractères*, VI, 15-21).

- **Le sociologue**
  En fait, Montesquieu regrette la disparition progressive des corps
  privilégiés (noblesse, magistrature), appuyés sur une fortune stable,
  qu'il considère comme des contrepoids à l'autorité royale, indispensables dans l'État. *L'Esprit des lois* développera cette idée de
  la nécessité des « pouvoirs intermédiaires » pour équilibrer le
  pouvoir monarchique.

- **L'ironie**
  ② Où apparaît un ton ironiquement révérencieux?
  ③ Relever les métaphores pittoresques.
  ④ Montrer que l'ironie atteint parfois à une éloquence indignée.

---

1. Familles nobles. — 2. L'auteur reprend un mot de Mme de Grignan, la fille de Mme
de Sévigné, justifiant le mariage de son fils avec la fille d'un fermier général par la nécessité
d'employer « de temps en temps du *fumier* pour fumer les meilleures terres ». — 3. Mars.

LETTRE 99

RICA A RHÉDI
A VENISE

Je trouve les caprices de la mode, chez les Français [1], étonnants [2]. Ils ont oublié comment ils étaient habillés cet été; ils ignorent encore plus comment ils le seront cet hiver. Mais, surtout, on ne saurait croire combien il en coûte à un mari pour mettre sa femme à la mode.   5

Que me servirait de te faire une description exacte de leur habillement et de leurs parures? Une mode nouvelle viendrait détruire tout mon ouvrage, comme celui de leurs ouvriers [3], et, avant que tu eusses reçu ma lettre, tout serait changé.   10

Une femme qui quitte Paris pour aller passer six mois à la campagne en revient aussi antique [4] que si elle s'y était oubliée trente ans. Le fils méconnaît [5] le portrait de sa mère, tant l'habit avec lequel elle est peinte lui paraît étranger; il s'imagine que c'est quelque Américaine [6] qui y est repré-   15
sentée, ou que le peintre a voulu exprimer quelqu'une de ses fantaisies.

Quelquefois, les coiffures montent insensiblement, et une révolution les fait descendre tout à coup [7]. Il a été un temps que leur hauteur immense mettait le visage d'une   20
femme au milieu d'elle-même. Dans un autre, c'étaient les pieds qui occupaient cette place : les talons faisaient un piédestal [8] qui les tenait en l'air [9]. Qui pourrait le croire? Les architectes ont été souvent obligés de hausser, de baisser et d'élargir leurs portes, selon que les parures des   25
femmes exigeaient d'eux ce changement, et les règles de

---

1. En Perse, les vêtements n'ont pratiquement pas changé du XVIIe au XIXe siècle. — 2. Très frappants. — 3. Couturières, tailleurs, cordonniers, orfèvres, passementières. — 4. Démodée dans son habillement. — 5. Ne reconnaît pas. — 6. Une femme peau rouge; les fards, notamment le rouge et la céruse, étaient très utilisés sous les règnes de Louis XIV et Louis XV. — 7. *Les coiffures* à plusieurs étages, mêlées de rubans et de cheveux postiches, avaient été mises à la mode par Mademoiselle de Fontanges. Mais en 1714, à l'imitation de Lady Sandwich, épouse de l'ambassadeur d'Angleterre, les femmes adoptèrent une coiffure basse, aux cheveux coupés à trois doigts de la tête. — 8. Support. — 9. Sous la Régence, la mode est aux talons très haut placés, presque sous la cambrure du pied.

leur art ont été asservies à ces caprices. On voit quelquefois sur un visage une quantité prodigieuse de mouches [1],
et elles disparaissent toutes le lendemain. Autrefois, les
30 femmes avaient de la taille [2] et des dents [3]; aujourd'hui, il
n'en est pas question. Dans cette changeante nation, quoi
qu'en disent les mauvais plaisants, les filles se trouvent
autrement faites que leurs mères.

    Il en est des manières et de la façon de vivre comme
35 des modes : les Français changent de mœurs selon l'âge
de leur roi [4]. Le Monarque pourrait même parvenir à rendre
la Nation grave, s'il l'avait entrepris. Le Prince imprime
le caractère de son esprit à la Cour; la Cour, à la Ville [5],
la Ville, aux provinces. L'âme du Souverain est un moule
40 qui donne la forme à toutes les autres.

        De Paris, le 8 de la lune de Saphar [6], *1717.*

● **Les caprices de la mode** (*Lettre* **99**)

① Montrer qu'Usbek est sensible à deux sortes de bizarreries : les
changements et les extravagances de la mode.

② Le tableau de Montesquieu est caricatural et comique. Étudier
de ce point de vue :
— le choix des mots;
— les images;
— les hyperboles.

③ Mettre en relief, dans le dernier paragraphe, le passage du
badinage à la satire politique et sociale. Quelle est la portée de la
formule finale?

④ Comparer la satire de Montesquieu à celle de La Bruyère
(*Caractères*, XIII, 12 et 15).

⑤ Peuple caméléon, peuple singe du maître :
    On dirait qu'un esprit anime mille corps;
    C'est bien là que les gens sont de simples ressorts.
Comparer ces trois vers de La Fontaine (*Fables*, VIII, 14) à la dernière phrase de la *Lettre* **99**.

---

    1. Petites rondelles de taffetas noir que les dames collaient sur leur visage. — 2. La
taille fine. — 3. Souriaient pour mettre leurs *dents* en valeur. — 4. Allusion à l'air de péni-
tence imposé par Louis XIV quand il devint dévot, puis à la liberté des mœurs sous la
Régence. — 5. Les « honnêtes gens » de la société parisienne. — 6. Avril.

LETTRE 100

RICA AU MÊME

Je te parlais l'autre jour [1] de l'inconstance prodigieuse
des Français sur leurs modes. Cependant il est inconcevable
à quel point ils en sont entêtés : ils y rappellent [2] tout;
c'est la règle avec laquelle ils jugent de tout ce qui se fait
chez les autres nations : ce qui est étranger leur paraît   [5]
toujours ridicule. Je t'avoue que je ne saurais guère
ajuster cette fureur [3] pour leurs coutumes avec l'inconstance avec laquelle ils en changent tous les jours.

Quand je te dis qu'ils méprisent tout ce qui est étranger,
je ne parle que des bagatelles : car, sur les choses impor-   [10]
tantes, ils semblent s'être méfiés d'eux-mêmes jusqu'à se
dégrader [4]. Ils avouent de bon cœur que les autres peuples
sont plus sages, pourvu qu'on convienne qu'ils sont mieux
vêtus. Ils veulent bien s'assujettir aux lois d'une nation
rivale [5], pourvu que les perruquiers français décident en [15]
législateurs sur la forme des perruques étrangères. Rien
ne leur paraît si beau que de voir le goût de leurs cuisiniers
régner au septentrion au midi, et les ordonnances [6] de leurs
coiffeuses portées [7] dans toutes les toilettes de l'Europe.

Avec ces nobles avantages, que leur importe que le   [20]
bon sens leur vienne d'ailleurs et qu'ils aient pris de leurs
voisins tout ce qui concerne le gouvernement politique
et civil [8]?

Qui peut penser qu'un royaume, le plus ancien et le
plus puissant de l'Europe, soit gouverné, depuis plus   [25]
de dix siècles, par des lois qui ne sont pas faites pour
lui [9]? Si les Français avaient été conquis, ceci ne serait
pas difficile à comprendre; mais ils sont les conquérants [10].

---

1. Dans la *Lettre* 99. — 2. Rapportent. — 3. Folie. — 4. Se rabaisser. — 5. Peut-être
allusion à la politique du cardinal Dubois envers l'Angleterre. — 6. Arrangements. —
7. Adoptées. — 8. Arguments repris par Voltaire dans son *Discours aux Welches* : les
Francs ont vaincu les Romains, mais adopté leurs lois. — 9. En matière juridique, Montesquieu s'oppose aux Romanistes. Cette surprise de Rica annonce le livre XXVIII de
l'*Esprit des lois* : « De l'origine et des révolutions des lois civiles chez les Français.» —
10. Confusion, suivant la thèse de Boulainvilliers, entre les Francs et les Français.

Ils ont abandonné les lois anciennes, faites par leurs
30 premiers rois dans les assemblées générales de la Nation [1];
et ce qu'il y a de singulier, c'est que les lois romaines, qu'ils
ont prises à la place, étaient en partie faites et en partie
rédigées par des empereurs [2] contemporains de leurs législateurs [3].

35   Et, afin que l'acquisition fût entière, et que tout le
bon sens leur vînt d'ailleurs, ils ont adopté toutes les
constitutions des Papes et en ont fait une nouvelle partie
de leur droit [4] : nouveau genre de servitude.

Il est vrai que, dans les derniers temps, on a rédigé
40 par écrit quelques statuts des villes et des provinces [5];
mais ils sont presque tous pris du droit romain.

Cette abondance de lois adoptées et, pour ainsi dire,
naturalisées, est si grande qu'elle accable également la
justice et les juges. Mais ces volumes de lois ne sont rien en
45 comparaison de cette armée effroyable de glossateurs [6], de
commentateurs, de compilateurs [7] : gens aussi faibles par le
peu de justesse de leur esprit qu'ils sont forts par leur
nombre prodigieux.

Ce n'est pas tout. Ces lois étrangères ont introduit
50 des formalités dont l'excès est la honte de la raison
humaine [8]. Il serait assez difficile de décider si la forme
s'est rendue plus pernicieuse lorsqu'elle est entrée dans
la jurisprudence, ou lorsqu'elle s'est logée dans la médecine; si elle a fait plus de ravages sous la robe d'un juris-
55 consulte que sous le large chapeau d'un médecin; et si,
dans l'une, elle a plus ruiné de gens qu'elle n'en a tué dans
l'autre.

De Paris, le 12 de la lune de Saphar [9], *1717.*

---

1. Lois saliques. — 2. Justinien et ses successeurs. — 3. Les fils et petits-fils de Clovis.
— 4. Le Droit canonique. — 5. Droit coutumier. — 6. Auteurs de notes explicatives.
— 7. Auteurs de recueils. — 8. Cette indignation contre la complexité du droit rejoint
les vœux de l'abbé de Saint-Pierre et le programme du chancelier d'Aguesseau. Plus tard,
dans *l'Esprit des lois* (VI, 2), le libéral qu'est Montesquieu pensera que finalement la
complication des lois est une garantie de liberté pour les sujets. — 9. Avril.

LETTRE 101

USBEK A ***

On parle toujours ici de la Constitution[1]. J'entrai
l'autre jour dans une maison où je vis d'abord un gros
homme avec un teint vermeil, qui disait d'une voix forte[2] :
« J'ai donné mon mandement[3]; je n'irai point répondre
à tout ce que vous dites; mais lisez-le, ce mandement, 5
et vous verrez que j'y ai résolu tous vos doutes. J'ai
bien sué pour le faire, dit-il en portant la main sur le
front : j'ai eu besoin de toute ma doctrine, et il m'a fallu
lire bien des auteurs latins. — Je le crois, dit un homme qui
se trouva là : car c'est un bel ouvrage, et je défierais bien 10
ce Jésuite qui vient si souvent vous voir d'en faire un meilleur[4]. — Lisez-le donc, reprit-il, et vous serez plus instruit
sur ces matières dans un quart d'heure que si je vous en
avais parlé toute la journée. » Voilà comment il évitait
d'entrer en conversation et de commettre[5] sa suffisance[6]. 15
Mais, comme il se vit pressé, il fut obligé de sortir de ses
retranchements, et il commença à dire théologiquement
force sottises, soutenu d'un dervis qui les lui rendait[7] très
respectueusement. Quand deux hommes qui étaient là lui
niaient quelque principe, il disait d'abord : « Cela est cer- 20
tain : nous l'avons jugé ainsi, et nous sommes des juges
infaillibles. — Et comment, lui dis-je alors, êtes-vous des
juges infaillibles? — Ne voyez-vous pas, reprit-il, que le
Saint-Esprit nous éclaire? — Cela est heureux, lui répon-
dis-je : car, de la manière dont vous avez parlé tout aujour- 25
d'hui, je reconnais que vous avez grand besoin d'être
éclairé. »

De Paris, le 18 de la lune de Rebiab[8] 1, 1717.

---

1. La bulle dite *Unigenitus* (1713), condamnant cent une propositions extraites des
Réflexions sur le Nouveau Testament du Père Quesnel, un oratorien janséniste, et imposée
au Parlement en 1714 par Louis XIV, fut violemment remise en question dans les premiers
mois de 1717. — 2. Peut-être Fleury, évêque de Fréjus, qui entrait alors dans ses fonctions
de précepteur du Dauphin. — 3. Le *mandement* de Fleury (mai 1714) contre la bulle
Unigenitus connut un grand succès. Mais on lui en dénia parfois la paternité. — 4. L'évêque,
hostile à la bulle, fait appel à un jésuite, partisan de la bulle, pour rédiger ses
mandements. — 5. Exposer. — 6. Science. — 7. Qui l'approuvait. — 8. Mai. Voir p. 25, n° 5.

LETTRE 102

USBEK A IBBEN
A SMYRNE

Les plus puissants États de l'Europe sont ceux de l'Empereur[1], des rois de France, d'Espagne et d'Angleterre. L'Italie et une grande partie de l'Allemagne sont partagées en un nombre infini de petits États, dont les princes
5   sont, à proprement parler, les martyrs de la souveraineté. Nos glorieux sultans ont plus de femmes que quelques-uns de ces princes n'ont de sujets. Ceux d'Italie, qui ne sont pas si unis, sont plus à plaindre : leurs États sont ouverts comme des caravansérails[2], où ils sont obligés de
10 loger les premiers qui viennent; il faut donc qu'ils s'attachent aux grands princes et leur fassent part de leur frayeur plutôt que de leur amitié.

La plupart des gouvernements d'Europe sont monarchiques, ou plutôt sont ainsi appelés : car je ne sais pas s'il
15 y en a jamais eu véritablement de tels; au moins est-il difficile qu'ils aient subsisté longtemps dans leur pureté. C'est un état violent[3], qui dégénère toujours en despotisme[4] ou en république[5] : la puissance ne peut jamais être également partagée entre le Peuple et le Prince; l'équilibre est
20 trop difficile à garder. Il faut que le pouvoir diminue d'un côté, pendant qu'il augmente de l'autre; mais l'avantage est ordinairement du côté du Prince, qui est à la tête des armées.

Aussi le pouvoir des rois d'Europe est-il bien grand,
25 et on peut dire qu'ils l'ont tel qu'ils le veulent. Mais ils ne l'exercent point avec tant d'étendue que nos sultans : premièrement, parce qu'ils ne veulent point choquer les mœurs et la religion des peuples; secondement, parce qu'il n'est pas de leur intérêt de le porter si loin.

30 Rien ne rapproche plus nos princes de la condition de leurs sujets que cet immense pouvoir qu'ils exercent sur eux; rien ne les soumet plus aux revers et aux caprices de la fortune.

---

1. D'Autriche. — 2. Auberges. — 3. Intolérable. — 4. En France. — 5. En Angleterre

L'usage où ils sont de faire mourir tous ceux qui leur
déplaisent, au moindre signe qu'ils font, renverse la ³⁵
proportion qui doit être entre les fautes et les peines [1],
qui est comme l'âme des États et l'harmonie des Empires ;
et cette proportion, scrupuleusement gardée par les princes
chrétiens, leur donne un avantage infini sur nos sultans.

● **La monarchie et le despotisme**

Pour Montesquieu, la monarchie parfaite est un gouvernement
modéré où deux forces s'opposent. Il prétend la trouver dans les
coutumes des peuples barbares qui ont envahi l'Europe occidentale au vᵉ siècle :

*Les peuples du Nord, libres dans leurs pays, s'emparant des provinces
romaines, ne donnèrent point à leurs chefs une grande autorité.
Quelques-uns même de ces peuples, comme les Vandales en Afrique,
les Goths en Espagne, déposaient leurs rois dès qu'ils n'en étaient pas
satisfaits, et, chez les autres, l'autorité du Prince était bornée de mille
manières différentes : un grand nombre de seigneurs la partageaient
avec lui ; les guerres n'étaient entreprises que de leur consentement ;
les dépouilles étaient partagées entre le chef et les soldats ; aucun
impôt en faveur du Prince ; les lois étaient faites dans les assemblées
de la Nation* (Lettre **131**).

Il estime que, depuis cette époque, les monarchies européennes
ont dégénéré, soit en république (en Angleterre : voir la *Lettre* **104**),
soit plus fréquemment en despotisme, par exemple en France, parce
que les princes disposaient d'armées (voir la *Lettre* **105**).

① Montrer que Montesquieu n'a pas encore conçu nettement la
définition de la monarchie qu'il présentera dans *l'Esprit des lois*
(II, 1) :

*Le [gouvernement] monarchique, celui où un seul gouverne par des
lois fixes et établies, au lieu que dans le despotique, un seul, sans lois
et sans règle, entraîne tout par sa volonté et son caprice.*

② En quoi, au contraire, est-il déjà très proche de sa théorie sur
l'abandon ou la déviation des principes fondant les régimes
politiques : « *La corruption de chaque gouvernement commence
presque toujours par celle de ses principes* » (*Esprit des lois*,
VIII, 1)? Voir *Commentaire*, p. 37.

③ Quelles différences signale-t-il entre les monarchies d'Europe
et les monarchies d'Asie? La vraie différence n'est-elle pas dans
une plus grande habileté politique des souverains européens?

④ Dans une première ébauche de la lettre, Montesquieu faisait
écrire à Usbek :

*Nos princes ont jusqu'ici exercé le pouvoir avec si peu de retenue, ils
se sont si fort joués de la nature humaine que je ne m'étonne pas que
Dieu permette que les peuples se lassent et secouent un joug trop
appesanti.*

Pourquoi Montesquieu a-t-il supprimé ce paragraphe?

---

1. Voir la *Lettre* **80**.

40   Un Persan, qui par imprudence [1] ou par malheur [2], s'est
attiré la disgrâce du Prince est sûr de mourir : la moindre
faute [3] ou le moindre caprice [4] le met dans cette nécessité.
Mais, s'il avait attenté à la vie de son souverain, s'il avait
voulu livrer ses places aux ennemis, il en serait quitte
45   aussi pour perdre la vie. Il ne court donc pas plus de risque
dans ce dernier cas que dans le premier.

Aussi, dans la moindre disgrâce, voyant la mort certaine, et ne voyant rien de pis, il se porte naturellement à
troubler l'État et à conspirer contre le Souverain : seule
50   ressource qui lui reste.

Il n'en est pas de même des grands d'Europe, à qui
la disgrâce n'ôte rien que la bienveillance et la faveur.
Ils se retirent de la Cour et ne songent qu'à jouir d'une vie
tranquille et des avantages de leur naissance. Comme on
55   ne les fait guère périr que pour le crime de lèse-majesté,
ils craignent d'y tomber, par la considération de ce qu'ils
ont à perdre et du peu qu'ils ont à gagner : ce qui fait qu'on
voit peu de révoltes et peu de princes qui périssent d'une
mort violente.

60   Si, dans cette autorité illimitée qu'ont nos princes,
ils n'apportaient pas tant de précaution pour mettre leur
vie en sûreté, ils ne vivraient pas un jour; et, s'ils n'avaient
à leur solde un nombre innombrable de troupes pour
tyranniser le reste de leurs sujets, leur empire ne subsisterait
65   pas un mois.

Il n'y a que quatre ou cinq siècles qu'un roi de France [5]
prit des gardes, contre l'usage de ce temps-là, pour se garantir des assassins qu'un petit prince d'Asie [6] avait envoyés
pour le faire périr : jusque-là, les rois avaient vécu tran-
70   quilles au milieu de leurs sujets, comme des pères au milieu
de leurs enfants.

Bien loin que les rois de France puissent, de leur propre
mouvement [7], ôter la vie à un de leurs sujets, comme nos
sultans, ils portent, au contraire, toujours avec eux la
75   grâce de tous les criminels. Il suffit qu'un homme ait été

---

1. Sans intention coupable. — 2. Par un hasard malheureux. — 3. Du sujet. — 4. D[u]
souverain. — 5. Philippe Auguste. — 6. Le chef des *Haschichins* (d'où le nom d'*assa*[ssins]). — 7. Initiative.

assez heureux pour voir l'auguste visage de son prince, pour qu'il cesse d'être indigne de vivre. Ces monarques sont comme le Soleil, qui porte partout la chaleur et la vie.

De Paris, le 8 de la lune de Rebiab [1] *2, 1717.*

LETTRE 103

USBEK AU MÊME

Pour suivre l'idée de ma dernière lettre, voici à peu près ce que me disait, l'autre jour, un Européen assez sensé:

« Le plus mauvais parti que les princes d'Asie aient pu prendre, c'est de se cacher comme ils font. Ils veulent se [5] rendre plus respectables; mais ils font respecter la Royauté, et non pas le Roi, et attachent l'esprit des sujets à un certain trône, et non pas à une certaine personne.

» Cette puissance invisible qui gouverne est toujours la même pour le Peuple. Quoique dix rois, qu'il ne connaît [10] que de nom, se soient égorgés l'un après l'autre, il ne sent aucune différence; c'est comme s'il avait été gouverné successivement par des Esprits [2].

» Si le détestable parricide [3] de notre grand roi Henri IV avait porté ce coup sur un roi des Indes, maître du sceau [15] royal et d'un trésor immense, qui aurait semblé amassé pour lui, il aurait pris tranquillement les rênes de l'Empire sans qu'un seul homme eût pensé à réclamer son roi, sa famille et ses enfants.

» On s'étonne de ce qu'il n'y a presque jamais de chan- [20] gement dans les gouvernements des princes d'Orient. D'où vient cela, si ce n'est qu'il est tyrannique et affreux [4]?

» Les changements ne peuvent être faits que par le Prince ou par le Peuple. Mais, là [5], les princes n'ont garde d'en faire, parce que, dans un si haut degré de puissance, [25] ils ont tout ce qu'ils peuvent avoir; s'ils changeaient quelque chose, ce ne pourrait être qu'à leur préjudice.

---

1. Juin. — 2. Des êtres abstraits. — 3. Ravaillac. — 4. Capable des actions les plus ɴoires (archaïsme). — 5. En Orient.

» Quant aux sujets, si quelqu'un d'eux forme quelque
résolution, il ne saurait l'exécuter sur l'État : il faudrait
30　qu'il contre-balançât tout à coup une puissance redoutable
et toujours unique ; le temps lui manque, comme les
moyens ; mais il n'a qu'à aller à la source de ce pouvoir,
et il ne lui faut qu'un bras et qu'un instant.

» Le meurtrier monte sur le trône, pendant que le
35　monarque en descend, tombe et va expirer à ses pieds.

» Un mécontent, en Europe, songe à entretenir quelque
intelligence [1] secrète, à se jeter chez les ennemis, à se saisir
de quelque place, à exciter quelques vains murmures [2]
parmi les sujets. Un mécontent, en Asie, va droit au Prince,
40　étonne [3], frappe, renverse ; il en [4] efface jusqu'à l'idée [5] :
dans un instant, l'esclave est le maître ; dans un instant,
l'usurpateur est légitime.

» Malheureux le roi qui n'a qu'une tête ! Il semble ne
réunir sur elle toute sa puissance que pour indiquer au pre-
45　mier ambitieux l'endroit où il la trouvera tout entière. »

De Paris, le 17 de la lune de Rebiab [6] 2, 1717.

LETTRE 104

USBEK AU MÊME

Tous les peuples d'Europe ne sont pas également
soumis à leurs princes : par exemple, l'humeur impatiente [7] des Anglais ne laisse guère à leur roi le temps d'appe-
santir son autorité ; la soumission et l'obéissance sont
5　les vertus dont ils se piquent le moins. Ils disent là-dessus
des choses bien extraordinaires. Selon eux, il n'y a qu'un
lien qui puisse attacher les hommes, qui est celui de la gra-
titude : un mari, une femme, un père et un fils ne sont liés
entre eux que par l'amour qu'ils se portent, ou par les bien-
10　faits qu'ils se procurent, et ces motifs divers de reconnais-
sance sont l'origine de tous les royaumes et de toutes les
sociétés.

---

1. Conspiration. — 2. Allusion à la Fronde. — 3. Surprend. — 4. Du prince. —
5. Jusqu'au souvenir. — 6. Juin. — 7. Peu apte à se contenir.

Mais, si un prince, bien loin de faire vivre ses sujets heureux, veut les accabler [1] et les détruire, le fondement [2] de l'obéissance cesse : rien ne les lie, rien ne les attache à lui; et ils rentrent dans leur liberté naturelle. Ils soutiennent que tout pouvoir sans bornes ne saurait être légitime, parce qu'il n'a jamais pu avoir d'origine légitime. Car nous ne pouvons pas, disent-ils, donner à un autre plus de pouvoir sur nous que nous n'en avons nous-mêmes. Or nous n'avons pas sur nous-mêmes un pouvoir sans bornes : par exemple, nous ne pouvons pas nous ôter la vie [3]. Personne n'a donc, concluent-ils, sur la Terre un tel pouvoir.

Le crime de lèse-majesté n'est autre chose, selon eux, que le crime que le plus faible commet contre le plus fort en lui désobéissant, de quelque manière qu'il lui désobéisse. Aussi le peuple d'Angleterre qui se trouva le plus fort contre un de leurs [4] rois, déclara-t-il que c'était un crime de lèse-majesté à un prince de faire la guerre à ses sujets [5]. Ils ont donc grande raison quand ils disent que le précepte de leur Alcoran [6] qui ordonne de se soumettre aux Puissances n'est pas bien difficile à suivre, puisqu'il leur est impossible de ne pas les observer; d'autant que ce n'est pas

---

● **Liberté et démocratie** (*Lettre* **104**)

① Montrer que les Anglais font disparaître l'idée de monarchie de droit divin et lui substituent l'idée d'efficience et de bienfaisance.

② Comment l'abus de pouvoir provoque-t-il le retour à la liberté naturelle?

③ Pourquoi, selon les Anglais, le pouvoir despotique est-il illégitime?

④ Quelle liaison Montesquieu établit-il entre le principe démocratique de majorité et le crime de lèse-majesté?

L'exemple tiré de l'histoire d'Angleterre confirme des idées politiques fondées sur l'expérience et le réalisme; mais, dans le dernier paragraphe, Montesquieu insiste sur la loi morale.

---

1. Opprimer. — 2. La raison d'être. — 3. Voir les *Lettres* 76 et 77. — 4. Accord par syllepse. — 5. Charles Ier fut déclaré coupable *de lèse-majesté* par la Chambre des Communes en 1649. — 6. Voir p. 26, note 6. Le Nouveau Testament enseigne que toute personne doit être soumise aux *puissances* supérieures.

au plus vertueux qu'on les oblige de se soumettre, mais
35 à celui qui est le plus fort.

Les Anglais disent qu'un de leurs rois[1], ayant vaincu et
fait prisonnier un prince[2] qui lui disputait la couronne,
voulut lui reprocher son infidélité et sa perfidie : « Il n'y
a qu'un moment, dit le prince infortuné, qu'il vient d'être
40 décidé lequel de nous deux est le traître. »

Un usurpateur déclare rebelles tous ceux qui n'ont
point opprimé la Patrie comme lui, et, croyant qu'il n'y a
pas de lois là où il ne voit point de juges, il fait révérer
comme des arrêts du Ciel les caprices du hasard et de la
45 fortune.

De Paris, le 20 de la lune de Rebiab[3] *2, 1717.*

LETTRE 105

*RHÉDI A USBEK
A PARIS*

Tu m'as beaucoup parlé, dans une de tes lettres, des
sciences et des arts[4] cultivés en Occident. Tu me vas
regarder comme un barbare; mais je ne sais si l'utilité que
l'on en retire dédommage les hommes du mauvais usage
5 que l'on en fait tous les jours.

J'ai ouï dire que la seule invention des bombes[5] avait
ôté la liberté à tous les peuples de l'Europe. Les princes,
ne pouvant plus confier la garde des places aux bourgeois,
qui, à la première bombe, se seraient rendus, ont eu un
10 prétexte pour entretenir de gros corps de troupes réglées[6],
avec lesquelles ils ont, dans la suite, opprimé leurs sujets.

Tu sais que, depuis l'invention de la poudre[7], il n'y a
plus de places imprenables; c'est-à-dire, Usbek, qu'il n'y a
plus d'asile sur la Terre contre l'injustice et la violence.

---

1. Édouard IV. — 2. Le *prince* Édouard, fils de Henri VI. — 3. Juin. — 4. Le mot désigne
toutes les formes de l'invention humaine, le travail des artisans, avec l'idée que ceux-c[i]
sont aussi des artistes. — 5. Projectiles creux et chargés de poudre qui explosaient sou[s]
l'effet d'une mèche allumée. Invention du XVIe siècle. — 6. Régulières. — 7. Connue depui[s]
longtemps en Chine et introduite au XIVe siècle en Europe.

Je tremble toujours qu'on ne parvienne à la fin à décou- 15
vrir quelque secret qui fournisse une voie plus abrégée
pour faire périr les hommes, détruire les peuples et les
nations entières.

Tu as lu les historiens; fais-y bien attention : presque
toutes les monarchies n'ont été fondées que sur l'igno- 20
rance des arts et n'ont été détruites que parce qu'on les a
trop cultivés. L'ancien empire de Perse peut nous en
fournir un exemple domestique [1].

Il n'y a pas longtemps que je suis en Europe; mais
j'ai ouï parler à des gens sensés des ravages de la chimie : 25
il semble que ce soit un quatrième fléau qui ruine les
hommes et les détruit en détail, mais continuellement;
tandis que la guerre, la peste, la famine, les détruisent en
gros, mais par intervalles.

Que nous a servi l'invention de la boussole [2] et la décou- 30
verte de tant de peuples, qu'à [3] nous communiquer leurs
maladies, plutôt que leurs richesses? L'or et l'argent
avaient été établis, par une convention générale, pour être
le prix de toutes les marchandises et un gage de leur valeur,
par la raison que ces métaux étaient rares et inutiles à tout 35
autre usage. Qu'importait-il donc qu'ils devinssent plus
communs, et que, pour marquer la valeur d'une denrée,
nous eussions deux ou trois signes [4] au lieu d'un? Cela n'en
était que plus incommode.

Mais, d'un autre côté, cette invention a été bien per- 40
nicieuse aux pays qui ont été découverts. Les nations
entières ont été détruites, et les hommes qui ont échappé
à la mort ont été réduits à une servitude si rude que le récit
en fait frémir les Musulmans.

Heureuse l'ignorance des enfants de Mahomet! Aimable 45
simplicité [5], si chérie de notre saint Prophète, vous me
rappelez toujours la naïveté des anciens temps et la tranquillité qui régnait dans le cœur de nos premiers pères!

De Venise, le 5 de la lune de Rhamazan [6], 1717.

---

1. Tiré de notre propre histoire. — 2. Venue de Chine à l'époque des Croisades. —
3. Sinon à. — 4. Étalons monétaires. — 5. Innocence, avec une nuance de crédulité. —
6. Novembre.

LETTRE 106

USBEK A RHÉDI
A VENISE

Ou tu ne penses pas ce que tu dis, ou bien tu fais mieux
que tu ne penses. Tu as quitté ta patrie pour t'instruire,
et tu méprises toute instruction. Tu viens pour te former
dans un pays où l'on cultive les beaux-arts, et tu les
5   regardes comme pernicieux. Te le dirai-je, Rhédi? Je suis
plus d'accord avec toi que tu ne l'es avec toi-même.

As-tu bien réfléchi à l'état barbare et malheureux où
nous entraînerait la perte des arts? Il n'est pas nécessaire
de se l'imaginer : on peut le voir. Il y a encore des peuples
10 sur la Terre chez lesquels un singe passablement instruit
pourrait vivre avec honneur : il s'y trouverait à peu
près à la portée des autres habitants; on ne lui trouverait
point l'esprit singulier, ni le caractère bizarre; il passerait
tout comme un autre et serait même distingué [1] par sa
15 gentillesse.

Tu dis que les fondateurs des empires ont presque
tous ignoré les arts. Je ne te nie pas que des peuples barbares n'aient pu, comme des torrents impétueux, se
répandre sur la Terre et couvrir de leurs armées féroces les
20 royaumes les mieux policés [2]. Mais, prends-y garde, ils ont
appris les arts ou les ont fait exercer aux peuples vaincus;
sans cela, leur puissance aurait passé comme le bruit du
tonnerre et des tempêtes.

Tu crains, dis-tu, que l'on n'invente quelque manière
25 de destruction plus cruelle que celle qui est en usage.
Non. Si une si fatale invention venait à se découvrir, elle
serait bientôt prohibée par le droit des gens [3]; et le consentement unanime des nations ensevelirait cette découverte.
Il n'est point de l'intérêt des princes de faire des conquêtes
30 par de pareilles voies : ils doivent chercher des sujets, et
non pas des terres.

---

1. Remarqué. — 2. Civilisés. — 3. Le droit international.

Tu te plains de l'invention de la poudre et des bombes [1] ;
tu trouves étrange qu'il n'y ait plus de place imprenable :
c'est-à-dire que tu trouves étrange que les guerres soient
aujourd'hui terminées plus tôt qu'elles ne l'étaient autre-   35
fois.

Tu dois avoir remarqué, en lisant les histoires, que,
depuis l'invention de la poudre, les batailles sont beaucoup
moins sanglantes qu'elles ne l'étaient, parce qu'il n'y a
presque plus de mêlée.   40

Et, quand il se serait trouvé quelque cas particulier
où un art aurait été préjudiciable, doit-on pour cela le
rejeter? Penses-tu, Rhédi, que la religion que notre saint
Prophète a apportée du Ciel soit pernicieuse parce qu'elle
servira un jour à confondre [2] les perfides chrétiens?   45

Tu crois que les arts [3] amollissent les peuples et, par
là, sont cause de la chute des empires? Tu parles de la
ruine de celui des anciens Perses, qui fut l'effet de leur
mollesse. Mais il s'en faut bien que cet exemple décide,
puisque les Grecs, qui les vainquirent tant de fois et les   50
subjuguèrent, cultivaient les arts avec infiniment plus de
soin qu'eux.

Quand on dit que les arts rendent les hommes efféminés,
on ne parle pas du moins de gens qui s'y appliquent, puisqu'ils ne sont jamais dans l'oisiveté, qui, de tous les vices, 55
est celui qui amollit le plus le courage.

Il n'est donc question que de ceux qui en jouissent.
Mais, comme, dans un pays policé, ceux qui jouissent
des commodités d'un art sont obligés d'en cultiver un

● **Le progrès**

Montesquieu surmonte la contradiction entre deux thèses opposées
sur la bienfaisance des sciences et des arts.
*Il était pénétré de la vieille doctrine qui fournissait à son siècle une
philosophie de l'histoire : que les nations barbares conquièrent les
peuples trop cultivés, deviennent à leur tour policées, s'affaiblissent
par leur politesse même, sont conquises et redeviennent barbares.
Mais il était sensible d'autre part aux bienfaits de la culture. Il la
voyait se développer dans les peuples de façon parallèle à leur prospérité et devait par conséquent considérer les sciences et les arts comme
des formes heureuses et nécessaires de cette activité générale dans
laquelle il reconnaissait la santé des nations comme des individus.*
(Antoine Adam, *op. cit.*, p. 266).

---

1. Voir p. 132, notes 5 et 6. — 2. Réduire à l'impuissance. — 3. Les industries de luxe.

60 autre, à moins de se voir réduits à une pauvreté hon-
teuse, il suit que l'oisiveté et la mollesse sont incompa-
tibles avec les arts.

Paris est peut-être la ville du Monde la plus sensuelle [1],
et où l'on raffine le plus sur les plaisirs; mais c'est peut-
65 être celle où l'on mène une vie plus dure [2]. Pour qu'un
homme vive délicieusement [3], il faut que cent autres travaillent sans relâche. Une femme s'est mis dans la tête
qu'elle devait paraître à une assemblée avec une certaine
parure; il faut que, dès ce moment, cinquante artisans ne
70 dorment plus et n'aient plus le loisir de boire et de manger :
elle commande, et elle est obéie plus promptement que ne
serait notre monarque, parce que l'intérêt est le plus grand
monarque de la Terre.

Cette ardeur pour le travail, cette passion de s'enrichir,
75 passe de condition [4] en condition, depuis les artisans jusques aux grands. Personne n'aime à être plus pauvre que
celui qu'il vient de voir immédiatement au-dessous de lui.
Vous voyez à Paris un homme qui a de quoi vivre jusqu'au
Jour du Jugement, qui travaille sans cesse et court risque
80 d'accourcir [5] ses jours, pour amasser, dit-il, de quoi vivre.

Le même esprit gagne la Nation : on n'y voit que travail
et qu'industrie [6]. Où est donc ce peuple efféminé dont tu
parles tant?

Je suppose, Rhédi, qu'on ne souffrît dans un royaume
85 que les arts [7] absolument nécessaires à la culture des terres,
qui sont pourtant en grand nombre, et qu'on en bannît
tous ceux qui ne servent qu'à la volupté ou à la fantaisie;
je le soutiens : cet État serait un des plus misérables [8] qu'il
y
eût au Monde.

90 Quand [9] les habitants auraient assez de courage [10] pour se
passer de tant de choses qu'ils doivent à leurs besoins, le
peuple dépérirait tous les jours, et l'État deviendrait si
faible qu'il n'y aurait si petite puissance qui ne pût le
conquérir.

95 Il me serait aisé d'entrer dans un long détail et de te
faire voir que les revenus des particuliers cesseraient
presque absolument, et, par conséquent, ceux du Prince.

---

1. Où l'on recherche le plus les plaisirs des sens. — 2. La *plus dure*. — 3. Dans les
délices. — 4. Classe sociale. — 5. De raccourcir. — 6. Activité. — 7. Les métiers. — 8. Cas
de la Perse, demeurée à l'écart des progrès mécaniques. — 9. Même si. — 10. Vertu.

● **Un raisonnement méthodique**

① Montrer l'attention apportée par Usbek :
a) à réfuter tous les arguments de Rhédi;
b) à argumenter : théorie, exemple de Paris, raisonnement par l'absurde, calculs d'ordre économique.

② L'utilisation, par Rhédi et Usbek, d'arguments historiques contradictoires ne justifie-t-elle pas le mot de Valéry : « l'Histoire prouve ce qu'on veut » ?

③ Pourquoi Montesquieu supprime-t-il souvent toute transition apparente entre les paragraphes? Quelle impression veut-il donner? N'est-ce pas un trait de style cher au XVIII\ :sup:`e` siècle?

● **L'exemple de Paris** : *Paris est peut-être...* (l. 63)

① Relever les hyperboles et les changements de rythme.

② *L'intérêt est le plus grand monarque de la Terre* (l. 72). Tournée en maxime, n'y a-t-il pas là une réflexion positive : les justifications du pouvoir politique passent après les justifications du pouvoir économique? Ce sera une des thèses les plus neuves de *l'Esprit des lois.*

③ *Cette ardeur pour le travail...* (l. 74). Relever, dans le début de l'alinéa, une pointe d'éloquence. Montesquieu ne se laisse-t-il pas entraîner par des convictions qui lui sont chères? Comment reprend-il la démonstration générale?

④ Montrer la finesse psychologique de cette remarque : *Personne n'aime à être plus pauvre...* (l. 76-77).

⑤ Par quelle expression sent-on que Montesquieu dépasse le cadre d'une lettre à Rhédi?

⑥ Où apparaît l'ironie de l'exemple, avec une hyperbole mondaine curieuse sous la plume d'un musulman?

⑦ Étudier la pointe finale. L'esprit de Montesquieu ne consiste-t-il pas à redonner un sens étymologique et précis à une expression usée?

⑧ *Le même esprit gagne la Nation...* (l. 81). En quoi cette formule annonce-t-elle un des fondements de *l'Esprit des lois* : dans chaque groupe politique il y a un « esprit » qui se répand partout? Ici, Montesquieu analyse l'économie. A quel *esprit* pense-t-il?

⑨ Comment l'auteur nous ramène-t-il malicieusement au sujet de la lettre? Montrer la naïveté sarcastique de l'interrogation.

Il n'y aurait presque plus de relation de facultés [1] entre les citoyens; on verrait finir cette circulation de richesses et
100 cette progression de revenus qui vient de la dépendance où sont les arts les uns des autres : chaque particulier vivrait de sa terre et n'en retirerait que ce qu'il lui faut précisément pour ne pas mourir de faim. Mais, comme ce n'est pas quelquefois la vingtième partie des revenus d'un état,
105 il faudrait que le nombre des habitants diminuât à proportion, et qu'il n'en restât que la vingtième partie.

Fais bien attention jusqu'où vont les revenus de l'industrie. Un fonds ne produit annuellement à son maître que la vingtième partie de sa valeur; mais, avec une pistole [2]
110 de couleur, un peintre fera un tableau qui lui en vaudra cinquante. On en peut dire de même des orfèvres, des ouvriers en laine, en soie, et de toutes sortes d'artisans.

De tout ceci, on doit conclure, Rhédi, que, pour qu'un prince soit puissant, il faut que ses sujets vivent dans les
115 délices; il faut qu'il travaille à leur procurer toutes sortes de superfluités, avec autant d'attention que les nécessités de la vie.

De Paris, le 14 de la lune de Chalval [3]*, 1717.*

Rica souligne l'influence exercée sur les rois par leur confesseur et leurs maîtresses (Lettre **107**).

● **L'économiste** (*Lettre* **106**)

① Montrer l'hostilité de Montesquieu à la thésaurisation et son adhésion au libre-échange.

● **Le problème du luxe au XVIIIe siècle**

② Comparer la théorie de Montesquieu :
— à celle des apologistes du luxe : Voltaire, dans les *Lettres philosophiques* (Lettre X « Sur le Commerce »), *le Mondain* et la *Lettre à Rousseau* du 30 août 1755; Saint-Lambert, dans l'article « Luxe » de l'*Encyclopédie* (article longtemps prêté à Diderot, dont d'ailleurs il reflète assez bien la pensée);
— à celle de l'ennemi du luxe : Rousseau, dans le *Discours sur les sciences et les arts.*

---

1. D'échanges. — 2. Une pièce de 10 livres environ le salaire de six journées de trava[il] d'un ouvrier. — 3. Décembre.

LETTRE 108

USBEK A ***

Il y a une espèce de livres que nous ne connaissons
point en Perse, et qui me paraissent ici fort à la mode :
ce sont les journaux [1]. La paresse se sent flattée en les lisant :
on est ravi de pouvoir parcourir trente volumes en un quart
d'heure [2].   5

Dans la plupart des livres, l'auteur n'a pas fait les compliments ordinaires que les lecteurs sont aux abois [3] : il les
fait entrer à demi morts dans une matière noyée au
milieu d'une mer de paroles. Celui-ci veut s'immortaliser
par un *in-douze* [4]; celui-là par un *in-quarto* [5]; un autre, qui a   10
de plus belles inclinations, vise à l'*in-folio* [6]. Il faut donc
qu'il étende son sujet à proportion; ce qu'il fait sans pitié,
comptant pour rien la peine du pauvre lecteur, qui se tue à
réduire ce que l'auteur a pris tant de peine à amplifier [7].

Je ne sais, ***, quel mérite il y a à faire de pareils   15
ouvrages : j'en ferais bien autant si je voulais ruiner ma
santé et un libraire.

Le grand tort qu'ont les journalistes, c'est qu'ils ne
parlent que des livres nouveaux; comme si la vérité était
jamais nouvelle. Il me semble que, jusqu'à ce qu'un   20
homme ait lu tous les livres anciens, il n'a aucune raison
de leur préférer les nouveaux.

Mais, lorsqu'ils s'imposent la loi de ne parler que des
ouvrages encore tout chauds de la forge, ils s'en imposent
une autre, qui est d'être très ennuyeux. Ils n'ont garde de   25
critiquer les livres dont ils font les extraits, quelque raison
qu'ils en aient; et, en effet, quel est l'homme assez hardi
pour vouloir se faire dix ou douze ennemis tous les mois [8]?

● **Lettre 108**

① Montrer que Montesquieu relève, chez les journalistes :
a) le snobisme de l'actualité; b) le manque de courage littéraire.

---

1. Au XVIIIᵉ siècle, les périodiques se développent. Montesquieu lisait les *Nouvelles de
la République des Lettres* de Bayle, la *Bibliothèque choisie* de Le Clerc, les *Mémoires* de
Trévoux, la *Bibliothèque anglaise*, la *Gazette de France* et la *Gazette de Hollande*. —
2. Cette presse littéraire résumait les livres parus et joignait à l'analyse quelques commentaires. — 3. Le terme s'emploie en vénerie pour le cerf près de succomber. — 4. Livre
dont les feuilles sont pliées en *douze* feuillets et forment 24 pages. — 5 *Quatre* feuillets, soit
8 pages par feuille. — 6. *Deux* feuillets, 4 pages par feuille. — 7. L'amplification est un
défaut détestable aux yeux de Montesquieu. — 8. Ces périodiques étaient mensuels.

La plupart des auteurs ressemblent aux poètes, qui
30 souffriront une volée de coups de bâton sans se plaindre ;
mais qui, peu jaloux de [1] leurs épaules, le sont si fort de leurs
ouvrages qu'ils ne sauraient soutenir [2] la moindre critique.
Il faut donc bien se donner de garde [3] de les attaquer par un
endroit si sensible, et les journalistes le savent bien. Ils font
35 donc tout le contraire. Ils commencent par louer la matière
qui est traitée : première fadeur. De là, ils passent aux
louanges de l'auteur ; louanges forcées : car ils ont affaire
à des gens qui sont encore en haleine, tout prêts à se faire
faire raison [4] et à foudroyer à coups de plume un témé-
40 raire journaliste.

De Paris, le 5 de la lune de Zilcadé [5], 1718.

LETTRE 109

*RICA A ****

L'Université de Paris est la fille aînée [6] des rois de
France et très aînée : car elle a plus de neuf cents ans [7] ;
aussi rêve-t-elle quelquefois.
On m'a confié qu'elle eut, il y a quelque temps, un
5 grand démêlé avec quelques docteurs à l'occasion de la
lettre *Q* [8], qu'elle voulait que l'on prononçât comme un *K* [9].
La dispute s'échauffa si fort que quelques-uns furent
dépouillés de leurs biens [10]. Il fallut que le Parlement termi-
nât le différend, et il accorda la permission, par un arrêt
10 solennel [11], à tous les sujets du roi de France de prononcer
cette lettre à leur fantaisie. Il faisait beau voir les deux corps

---

● **La critique des querelles oiseuses** auxquelles se consacrent les
grands *corps* s'appuie sur deux anecdotes. Rica raconte et passe
du fait à l'idée. (*Lettre* **109**).
① Quelle triple proposition se dégage de la réalité française ?
② Pourquoi l'auteur ajoute-t-il un exemple emprunté à l'Espagne ?

---

1. Inquiets pour. — 2. Supporter. — 3. Se garder. — 4. Prêts à demander réparation
— 5. Janvier. — 6. Titre accordé (en l'an 1200) à l'Université par Philippe Auguste, don
elle avait soutenu les ambitions. — 7. Une légende la faisait remonter à Charlemagne
— 8. Prononciation du *Qu* latin, réclamée en 1559 par Ramus, professeur au Collège de
France. — 9. Ex.« Kalitas » au lieu de « qu-alitas ». — 10. Un ecclésiastique qui avait adopt
la prononciation nouvelle fut dépouillé de ses bénéfices. — 11. Garantissant « l'impunité
grammaticale ».

de l'Europe les plus respectables occupés à décider du sort d'une lettre de l'alphabet.

Il semble, mon cher ***, que les têtes des plus grands hommes s'étrécissent [1] lorsqu'elles sont assemblées, et que, [15] là où il y a plus de sages, il y ait aussi moins de sagesse. Les grands corps s'attachent toujours si fort aux minuties, aux vains usages, que l'essentiel ne va jamais qu'après. J'ai ouï dire qu'un roi d'Aragon [2], ayant assemblé les états [3] d'Aragon et de Catalogne, les premières séances [20] s'employèrent à décider en quelle langue les délibérations seraient conçues [4]; la dispute était vive, et les états se seraient rompus mille fois, si l'on n'avait imaginé un expédient [5], qui était que la demande serait faite en langage catalan et la réponse en aragonais. [25]

De Paris, le 25 de la lune de Zilhagé [6], 1718.

Rica plaisante sur l'agitation et la sottise des coquettes mondaines (Lettre **110**) *et Usbek s'étonne de la crédulité des Parisiens qui, sous la Régence d'Anne d'Autriche, se consolaient d'une défaite par une chanson contre Mazarin* (Lettre **111**).

LETTRES 112 à 122

Avec les Lettres **112** *à* **122** *apparaît une enquête suivie sur le peuplement et la dépopulation, qui rompt le dosage entre les sujets sérieux et la fiction orientale.*

La dépopulation progressive du globe — *Le problème est d'abord posé par Rhédi* (Lettre **112**) :

Tu n'as peut-être pas fait attention à une chose qui cause tous les jours ma surprise. Comment le Monde est-il si peu peuplé en comparaison de ce qu'il était autrefois? Comment la Nature a-t-elle pu perdre cette prodigieuse fécondité des premiers temps? Serait-elle déjà dans sa vieillesse, et tomberait-elle de langueur [7]?

---

1. Deviennent moins habiles à comprendre. — 2. Ferdinand en 1610. — 3. Assemblées provinciales. — 4. Rédigées. — 5. Mesure tirant d'embarras, tout en laissant subsister la difficulté. — 6. Février. — 7. S'affaiblirait-elle progressivement.

Cette idée d'une dépopulation universelle remonte à l'antiquité, par référence au mythe de l'âge d'or, et sort renforcée, à la fin du XVIIe siècle, des ravages dus aux guerres civiles ou nationales et aux persécutions religieuses. Vossius, en 1685, pousse cette théorie jusqu'à l'absurde en soutenant que la population de l'Europe est tombée à 30 millions d'habitants, et celle de la France à 5 millions. Bayle, d'accord sur le principe, juge ces chiffres encore trop faibles, et Vauban, dans la Dîme Royale, *penche pour 19 millions d'habitants en France, évaluation qui paraît conforme à la vérité.*

Inspiré par Vossius et Bayle, Montesquieu illustre par de multiples exemples une théorie qui nous semble aujourd'hui contraire à l'évidence (Lettre **112**) :

La Grèce est si déserte [1] qu'elle ne contient pas la centième partie de ses anciens habitants.

L'Espagne, autrefois si remplie, ne fait voir aujourd'hui que des campagnes inhabitées; et la France n'est rien en comparaison de cette ancienne Gaule dont parle César.

L'auteur des Lettres persanes *s'efforce de découvrir les raisons du phénomène, réduisant à l'unité des causes multiples et diverses, entre lesquelles son esprit découvre ou suppose des affinités étroites. Son enquête s'insère dans un cadre organisé. Dès 1721, il a découvert la méthode de* L'Esprit des lois : « *La raison, dans la mesure où elle tient au principe de causalité, ne pourra procéder autrement qu'en énonçant la longue série des causes et des effets successifs qui se lient les uns aux autres pour former la texture du réel* » (J. Starobinski, *Montesquieu par lui-même,* p. 38).

Causes physiques — *Usbek répond d'abord* (Lettre **113**) *à son correspondant que des catastrophes* « *ont détruit des villes et des royaumes entiers* ». *Il signale ensuite les désastres causés par les épidémies de peste et la vérole, et se demande* « *si la Terre entière n'a pas des causes générales, lentes et imperceptibles, de lassitude* ».

---

1. Dépeuplée.

Causes sociologiques et religieuses — *La polygamie chez les musulmans* (Lettre **114**) *et l'interdiction du divorce chez les chrétiens* (Lettre **116**) *sont, chacune à sa manière, contraires à la propagation de l'espèce. Le célibat religieux constitue un autre facteur important de dépopulation* (Lettre **117**).

La prohibition du divorce n'est pas la seule cause de la dépopulation des pays chrétiens. Le grand nombre d'eunuques qu'ils ont parmi eux n'en est pas une moins considérable.

Je parle des prêtres et des dervis[1] de l'un et de l'autre sexe, qui se vouent à une continence[2] éternelle : c'est chez les Chrétiens la vertu par excellence; en quoi je ne les comprends pas, ne sachant ce que c'est qu'une vertu dont il ne résulte rien [...].

Ce métier de continence a anéanti plus d'hommes que les pestes et les guerres les plus sanglantes n'ont jamais fait. On voit dans chaque maison religieuse une famille éternelle, où il ne naît personne, et qui s'entretient aux dépens de toutes les autres. Ces maisons sont toujours ouvertes comme autant de gouffres où s'ensevelissent les races futures.

Cette politique est bien différente de celle des Romains, qui établissaient des lois pénales contre ceux qui se refusaient aux lois du mariage et voulaient jouir d'une liberté si contraire à l'utilité publique.

Les pays protestants ne connaissent pas le célibat des ecclésiastiques. Aussi leur situation démographique est-elle bien meilleure que celle des pays catholiques :

Les pays protestants doivent être et sont réellement plus peuplés que les catholiques. D'où il suit, premièrement, que les tributs[3] y sont plus considérables, parce qu'ils augmentent à proportion du nombre de ceux qui les payent; secondement, que les terres y sont mieux cultivées; enfin, que le commerce y fleurit davantage, parce qu'il y a plus de gens qui ont une fortune à faire, et qu'avec plus de besoins on y a plus de ressources pour les remplir. Quand il n'y a que le nombre de gens suffisants pour la

---

1. Moines. — 2. Chasteté. — 3. Impôts.

30 culture des terres, il faut que le commerce périsse et,
lorsqu'il n'y a que celui qui est nécessaire pour entretenir
le commerce, il faut que la culture des terres manque;
c'est-à-dire : il faut que tous les deux tombent en même
temps, parce que l'on ne s'attache jamais à l'un que ce ne
35 soit aux dépens de l'autre.

Les dernières phrases annoncent le débat entre les physio-
crates, économistes fondant la richesse d'un pays sur la
culture, et les ploutocrates qui réclament avant tout l'exten-
sion du commerce et de l'industrie.

Causes économiques et politiques — *La dépopulation est*
également imputable à la traite des noirs qui dégarnit les
côtes de Guinée sans contrepartie pour l'Amérique, car
« ces esclaves, qu'on transporte dans un autre climat, y
périssent à milliers » (Lettre **118***).*
Après une allusion à l'infanticide et à l'avortement chez
certains peuples sauvages (Lettre **120***), Usbek critique très*
vivement (Lettre **121***) la colonisation au nom de principes*
qui préfigurent la célèbre **théorie des climats,** *développée au*
livre XIV de l'Esprit des lois :

L'effet ordinaire des colonies est d'affaiblir les pays
d'où on les tire, sans peupler ceux où on les envoie.
Il faut que les hommes restent où ils sont : il y a des
maladies qui viennent de ce qu'on change un bon air contre
5 un mauvais; d'autres qui viennent précisément de ce qu'on
en change.
L'air se charge, comme les plantes, des particules
de la terre de chaque pays. Il agit tellement sur nous que
notre tempérament en est fixé. Lorsque nous sommes
10 transportés dans un autre pays, nous devenons malades.
Les liquides étant accoutumés à une certaine consistance,
les solides, à une certaine disposition, tous les deux, à un
certain degré de mouvement, n'en peuvent plus souffrir
d'autres, et ils résistent à un nouveau pli.
15 Quand un pays est désert, c'est un préjugé de quelque
vice particulier dans la nature du terrain ou du climat.
Ainsi, quand on ôte les hommes d'un ciel heureux pour les
envoyer dans un tel pays, on fait précisément le contraire
de ce qu'on se propose.

*La colonisation est condamnée parce qu'elle dépeuple
la nation conquérante et extermine le peuple indigène.
Et le moraliste s'indigne des cruautés exercées par les Espagnols contre les Indiens (dans son* Traité des devoirs, *
Montesquieu choisit d'ailleurs la conquête des Indes* « pour
faire voir la violation des devoirs de l'homme ») :*

Les Espagnols, désespérant de retenir les nations vaincues 20
dans la fidélité, prirent le parti de les exterminer et d'y
envoyer d'Espagne des peuples fidèles. Jamais dessein
horrible ne fut plus ponctuellement exécuté. On vit un
peuple aussi nombreux que tous ceux de l'Europe ensemble
disparaître de la Terre à l'arrivée de ces barbares, qui 25
semblèrent, en découvrant les Indes, n'avoir pensé qu'à
découvrir aux hommes quel était le dernier période [1] de la
cruauté [...].

C'est le destin des héros de se ruiner à conquérir des
pays qu'ils perdent soudain, ou à soumettre des nations 30
qu'ils sont obligés eux-mêmes de détruire : comme cet
insensé qui se consumait [2] à acheter des statues, qu'il jetait
dans la mer, et des glaces, qu'il brisait aussitôt.

Présentation de quelques remèdes — *La suppression de
«* l'injuste droit d'aînesse » *favoriserait la natalité*
(Lettre **119**). *Enfin l'accroissement de la population dépend
de la liberté et de la prospérité* (Lettre **122**) :

La douceur du gouvernement contribue merveilleuse-
ment à la propagation de l'Espèce. Toutes les républiques
en sont une preuve constante, et, plus que toutes, la
Suisse et la Hollande, qui sont les deux plus mauvais
pays de l'Europe, si l'on considère la nature du terrain, 5
et qui cependant sont les plus peuplés.

Rien n'attire plus les étrangers que la liberté et l'opulence,
qui la suit toujours : l'une se fait rechercher par elle-même,
et nous sommes conduits par nos besoins dans les pays
où l'on trouve l'autre [...]. 10

● **Lettre 122**

① A quoi pense Montesquieu quand il parle (l. 1) de *la douceur
du gouvernement?*

② Montrer la hardiesse de ses réflexions (l. 1-18).

---

1. Degré. — 2. Se ruinait.

L'égalité même des citoyens, qui produit ordinairement
de l'égalité dans les fortunes, porte l'abondance et la vie
dans toutes les parties du corps politique et la répand
partout [...].

15 Les hommes sont comme les plantes, qui ne croissent
jamais heureusement si elles ne sont bien cultivées : chez
les peuples misérables, l'Espèce perd et même quelquefois
dégénère.

*Usbek se désole des revers subis par les Turcs, qu'il
attribue à leurs dissensions* (Lettre **123**).

LETTRE 124

USBEK A RHÉDI
A VENISE

Quel peut être le motif de ces libéralités immenses
que les princes versent [1] sur leurs courtisans? Veulent-ils
se les attacher? Ils leur sont déjà acquis autant qu'ils
peuvent l'être; et, d'ailleurs, s'ils acquièrent quelques-
5 uns de leurs sujets en les achetant, il faut bien, par la même
raison, qu'ils en perdent une infinité d'autres [2] en les
appauvrissant.

Quand je pense à la situation des princes, toujours
entourés d'hommes avides et insatiables, je ne puis que les
10 plaindre, et je les plains encore davantage lorsqu'ils n'ont
pas la force de résister à des demandes toujours onéreuses [3]
à ceux qui ne demandent rien.

Je n'entends jamais parler de leurs libéralités, des grâces [4]
et des pensions qu'ils accordent, que je ne me livre [5] à mille
15 réflexions : une foule d'idées se présente à mon esprit;
il me semble que j'entends publier cette ordonnance :

« Le courage infatigable de quelques-uns de nos sujets
» à nous demander des pensions ayant exercé [6] sans relâche
» notre magnificence [7] royale, nous avons enfin cédé à la

---

1. Déversent. — 2. Le Tiers-État. — 3. A charge. — 4. Faveurs. — 5. Sans me livrer.
— 6. Mis à l'épreuve. — 7. Générosité somptueuse.

» multitude des requêtes qu'ils nous ont présentées, les- 20
» quelles ont fait jusqu'ici la plus grande sollicitude [1] du
» Trône. Ils nous ont représenté [2] qu'ils n'ont point man-
» qué, depuis notre avènement à la couronne, de se trouver
» à notre lever ; que nous les avons toujours vus sur notre
» passage immobiles comme des bornes ; et qu'ils se sont 25
» extrêmement élevés pour regarder, sur [3] les épaules les
» plus hautes, Notre Sérénité. Nous avons même reçu plu-
» sieurs requêtes de la part de quelques personnes du beau
» sexe, qui nous ont supplié de faire attention qu'il est
» notoire qu'elles sont d'un entretien très difficile ; quelques- 30
» unes même, très surannées [4], nous ont prié, branlant la
» tête, de faire attention qu'elles ont fait l'ornement de
» la cour des rois nos prédécesseurs, et que, si les généraux

---

● **Le scandale des libéralités royales** devient particulièrement sensible aux contemporains à la fin du règne de Louis XIV. Dans ses
Annales politiques, l'abbé de Saint-Pierre, en 1715, s'indigne contre
la profusion des pensions : « Donner le bien d'autrui à des courtisans
et à des femmes de la Cour, est-ce bienfaisance ? N'est-ce pas plutôt
injustice ? » Montesquieu avait d'abord daté sa *Lettre* **124** du
11 janvier 1715, puis il la plaça en 1718, peut-être pour en atténuer
l'audace.

① Étudier les arguments qui justifient les restrictions et montrer
qu'ils se détruisent eux-mêmes :
a) par la disproportion entre le point de départ et le résultat ;
b) par l'égoïsme qu'ils supposent.

② Par quels procédés satiriques Montesquieu réussit-il :
a) à exposer les motifs du Roi et des bénéficiaires de pensions ;
b) à persuader la raison des lecteurs ;
c) à toucher leur sensibilité.

③ La défense faite aux magistrats (l. 61-62) n'est-elle pas le signe
d'un conflit de plus en plus aigu entre l'aristocratie de naissance
et les bourgeois qui s'indignent des privilèges de la noblesse ?

④ Rapprocher cette ordonnance burlesque (l. 17-62) :
a) pour la portée satirique, de La Bruyère (*Caractères*, VIII, 69,
71, 72, 74 ; IX, 24, 25) ; de Bossuet (*Oraison funèbre d'Anne de Gon-
zague*) ; de La Fontaine (« Les Obsèques de la lionne », *Fables*,
VIII, 14) ;
b) pour le ton parodique, de Boileau (*Arrêt burlesque*) ; de Pascal
(*Provinciales*, IV, V) ; de Paul-Louis Courier (*Lettre à Messieurs de
l'Académie des Inscriptions et Belles-Lettres*).

---

1. Le plus grand souci. — 2. Fait valoir avec fermeté. — 3. Par-dessus. — 4. Vieillies.

» de leurs armées ont rendu l'État redoutable par leurs faits
35 » militaires, elles n'ont point rendu la Cour moins célèbre
» par leurs intrigues. Ainsi, désirant traiter les suppliants
» avec bonté et leur accorder toutes leurs prières nous
» avons ordonné ce qui suit :

» Que tout laboureur ayant cinq enfants retranchera
40 » journellement la cinquième partie du pain qu'il leur
» donne. Enjoignons aux pères de famille de faire la dimi-
» nution, sur chacun d'eux, aussi juste que faire se pourra.

» Défendons expressément à tous ceux qui s'appliquent
» à la culture de leurs héritages [1], ou qui les ont donnés à
45 » titre de ferme, d'y faire aucune réparation, de quelque
» espèce qu'elle soit.

» Ordonnons que toutes personnes qui s'exercent à des
» travaux vils et mécaniques [2], lesquelles n'ont jamais été
» au lever de Notre Majesté, n'achètent désormais d'habits
50 » à eux, à leurs femmes et à leurs enfants, que de quatre ans
» en quatre ans; leur interdisons, en outre, très étroitement [3]
» ces petites réjouissances qu'ils avaient coutume de faire
» dans leurs familles les principales fêtes de l'année.

» Et, d'autant que [4] nous demeurons avertis que la plu-
55 » part des bourgeois de nos bonnes villes sont entièrement
» occupés à pourvoir à l'établissement [5] de leurs filles, les-
» quelles ne se sont rendues recommandables dans notre
» État que par une triste et ennuyeuse modestie, nous
» ordonnons qu'ils attendront à les marier [6] jusqu'à ce
60 » qu'ayant atteint l'âge limité par les ordonnances [7] elles
» viennent à les y contraindre [8]. Défendons à nos magis-
» trats de pourvoir à l'éducation de leurs enfants. »

De Paris, *le premier de la lune de Chalval* [9], *1718.*

---

1. Terres et maisons. — 2. Manuels. — 3. Rigoureusement. — 4. Vu que. — 5. Au
mariage. — 6. Différeront de *les marier*. — 7. Les jeunes filles de vingt-cinq ans et les
hommes de trente pouvaient se marier sans l'accord de leurs parents, s'ils obtenaien[t]
l'autorisation des juges de leur ressort. — 8. Ils adressaient alors des sommations à leurs
parents. — 9. Décembre.

LETTRE 125

RICA A ***

On est bien embarrassé, dans toutes les religions, quand il s'agit de donner une idée des plaisirs qui sont destinés à ceux qui ont bien vécu. On épouvante facilement les méchants par une longue suite[1] de peines dont on les menace; mais, pour les gens vertueux, on ne sait que leur promettre. Il semble que la nature des plaisirs soit d'être d'une courte durée; l'imagination a peine à en représenter d'autres.

J'ai vu des descriptions du Paradis capables d'y faire renoncer tous les gens de bon sens : les uns font jouer sans cesse de la flûte ces ombres heureuses; d'autres les condamnent au supplice de se promener éternellement; d'autres, enfin, qui les font rêver là-haut aux maîtresses d'ici-bas, n'ont pas cru que cent millions d'années fussent un terme assez long pour leur ôter le goût de ces inquiétudes amoureuses.

Je me souviens à ce propos d'une histoire que j'ai ouï raconter à un homme qui avait été dans le pays du Mogol[2]; elle fait voir que les prêtres indiens ne sont pas moins stériles que les autres dans les idées qu'ils ont des plaisirs du Paradis.

Une femme qui venait de perdre son mari vint en cérémonie chez le Gouverneur de la Ville lui demander la permission de se brûler; mais, comme, dans les pays soumis aux Mahométans, on abolit tant qu'on peut cette cruelle coutume, il la refusa absolument.

Lorsqu'elle vit ses prières impuissantes, elle se jeta dans un furieux emportement. « Voyez, disait-elle, comme on est gêné[3]! Il ne sera seulement pas permis à une pauvre femme de se brûler quand elle en a envie! A-t-on jamais vu rien de pareil? Ma mère, ma tante, mes sœurs, se sont brûlées; et, quand je vais demander permission à ce maudit gouverneur, il se fâche et se met à crier comme un enragé. »

---

1. Énumération. — 2. Voir p. 102, note 8. — 3. Torturé.

Il se trouva là, par hasard, un jeune bonze [1]. « Homme
35 infidèle, dit le Gouverneur, est-ce toi qui a mis cette fureur [2]
dans l'esprit de cette femme? — Non, dit-il, je ne lui ai
jamais parlé. Mais, si elle m'en croit, elle consommera
son sacrifice : elle fera une action agréable au Dieu Brama [3].
Aussi en sera-t-elle récompensée : car elle retrouvera dans
40 l'autre monde son mari, et elle recommencera avec lui un
second mariage. — Que dites-vous? dit la femme surprise [4].
Je retrouverai mon mari? Ah! je ne me brûle pas. Il était
jaloux, chagrin et, d'ailleurs, si vieux que, si le Dieu Brama
n'a point fait sur lui quelque réforme [5], sûrement il n'a pas
45 besoin de moi. Me brûler pour lui?... Pas seulement le bout
du doigt pour le retirer du fond des Enfers. Deux vieux
bonzes qui me séduisaient [6], et qui savaient de quelle
manière je vivais avec lui, n'avaient garde de me tout dire.
Mais, si le Dieu Brama n'a que ce présent à me faire, je
50 renonce à cette béatitude. Monsieur le Gouverneur, je me
fais mahométane. Et pour vous, dit-elle en regardant le
bonze, vous pouvez, si vous voulez, aller dire à mon mari
que je me porte fort bien. »

De Paris, le 2 de la lune de Chalval [7], 1718.

*Très ému par la disgrâce d'un seigneur perse (Lettre **126**),
Rica flétrit la funeste influence de ministres cruels sur les
princes (Lettre **127**), puis se moque d'un géomètre et d'un
traducteur obsédés par leurs occupations (Lettre **128**) : « Les
traductions sont comme ces monnaies de cuivre qui ont bien
la même valeur qu'une pièce d'or, et même sont d'un plus
grand usage pour le peuple ; mais elles sont toujours faibles
et de mauvais aloi. Vous voulez, dites-vous, faire renaître
parmi nous ces illustres morts, et j'avoue que vous leur don-
nez bien un corps, mais vous ne leur rendez pas la vie : il y
manque toujours un esprit pour les animer. »*

---

1. Il s'agit plutôt d'un brahmane (les bonzes sont bouddhistes). — 2. Folie. — 3. Dieu
de l'Inde, considéré comme le créateur du monde. — 4. Stupéfaite. — 5. Rajeunissement.
— 6. Trompaient. — 7. Décembre.

LETTRE 129

*USBEK A RHÉDI
A VENISE*

La plupart des législateurs ont été des hommes bornés, que le hasard a mis à la tête des autres, et qui n'ont presque consulté que leurs préjugés et leurs fantaisies. [...]

Ils ont souvent aboli sans nécessité celles[1] qu'ils ont trouvées établies; c'est-à-dire qu'ils ont jeté les peuples   5
dans les désordres inséparables des changements.

Il est vrai que, par une bizarrerie qui vient plutôt de la nature que de l'esprit des hommes, il est quelquefois nécessaire de changer certaines lois. Mais le cas est rare, et, lorsqu'il arrive, il n'y faut toucher que d'une main   10
tremblante : on y doit observer tant de solennités[2] et appor-ter tant de précautions que le peuple en conclut naturelle-ment que les lois sont bien saintes, puisqu'il faut tant de formalités pour les abroger.

Souvent ils les ont faites trop subtiles et ont suivi des   15
idées logiciennes[3] plutôt que l'équité naturelle. Dans la suite, elles ont été trouvées trop dures, et, par un esprit d'équité, on a cru devoir s'en écarter; mais ce remède était un nouveau mal. Quelles que soient les lois, il faut toujours les suivre et les regarder comme la conscience publique, à   20
laquelle celle des particuliers doit se conformer toujours [...].

De Paris, le 4 de la lune de Gemmadi[4] *2, 1719.*

● **Le changement des lois** (*Lettre* **129**)

Dès que l'unité s'est faite entre la loi et l'esprit d'un peuple, c'est une entreprise fort délicate que de changer la loi.

① Dégager le sens du premier alinéa. Montrer l'importance accor-dée par Montesquieu à tous les rites qui doivent accompagner le changement d'une loi pour en maintenir la grandeur et la dignité.

② En quoi le dernier paragraphe annonce-t-il le livre XIX de *l'Esprit des lois* : « Des lois dans le rapport qu'elles ont avec les principes qui forment l'esprit général, les mœurs et les manières d'une nation »?

③ Quelles sont les causes du conservatisme juridique de Mon-tesquieu?

---

1. Les *lois*. — 2. Formalités. — 3. De logiciens. — 4. Août.

LETTRE 130

RICA A ***

Je te parlerai dans cette lettre d'une certaine nation qu'on appelle *les Nouvellistes*[1], qui s'assemble dans un jardin magnifique[2], où leur oisiveté est toujours occupée. Ils sont très inutiles à l'État, et leurs discours de cinquante ans n'ont pas un effet différent de celui qu'aurait pu produire un silence aussi long. Cependant ils se croient considérables, parce qu'ils s'entretiennent de projets magnifiques et traitent de grands intérêts.

La base de leurs conversations est une curiosité frivole et ridicule : il n'y a point de cabinet si mystérieux qu'ils ne prétendent pénétrer ; ils ne sauraient consentir à ignorer quelque chose ; ils savent combien notre auguste sultan a de femmes, combien il fait d'enfants toutes les années ; et, quoiqu'ils ne fassent aucune dépense en espions, ils sont instruits des mesures qu'il prend pour humilier l'empereur des Turcs et des Mogols[3].

A peine ont-ils épuisé le présent qu'ils se précipitent dans l'avenir, et, marchant au-devant de la Providence, ils la préviennent sur toutes les démarches des hommes. Ils conduisent un général par la main, et, après l'avoir loué de mille sottises qu'il n'a pas faites, ils lui en préparent mille autres qu'il ne fera pas.

Ils font voler les armées comme les grues et tomber les murailles comme des cartons ; ils ont des ponts sur toutes les rivières, des routes secrètes dans toutes les montagnes, des magasins immenses dans les sables brûlants ; il ne leur manque que le bon sens.

. . . .

De Paris, le 7 de la lune de Gemmadi[4] 2, 1719.

---

1. Dépeints par les moralistes depuis 1660 (cf. La Bruyère, *Caractères*, X, 11). — 2. Les Tuileries. — 3. Le jugement est trop sévère. Beaucoup de nouvellistes avaient des correspondants à l'étranger et savaient, sur la France, ce que le gouvernement royal prétendait cacher. — 4. Août.

Rhédi adresse à Rica une longue lettre sur l'origine des Républiques grecques et romaine (Lettre **131**).

LETTRE 132

RICA A ***

Je fus, il y a cinq ou six mois, dans un café [1] ; j'y remarquai un gentilhomme assez bien mis, qui se faisait écouter : il parlait du plaisir qu'il y avait de vivre à Paris et déplorait sa situation d'être obligé d'aller languir [2] dans la Province. « J'ai, dit-il, quinze mille livres de rente en fonds de terre, et je me croirais plus heureux si j'avais le quart de ce bien-là en argent et en effets portables [3] partout. J'ai beau presser mes fermiers et les accabler de frais de justice, je ne fais que les rendre plus insolvables ; je n'ai jamais pu voir cent pistoles à la fois [4]. Si je devais dix mille francs, on me ferait saisir toutes mes terres, et je serais à l'Hôpital [5]. »

Je sortis sans avoir fait grande attention à tout ce discours ; mais, me trouvant hier dans ce quartier, j'entrai dans la même maison, et j'y vis un homme grave, d'un visage pâle et allongé, qui, au milieu de cinq ou six discoureurs, paraissait morne et pensif jusques à ce que, prenant brusquement la parole : « Oui, Messieurs, dit-il, en haussant la voix, je suis ruiné ; je n'ai plus de quoi vivre ; car j'ai actuellement chez moi deux cent mille livres en billets de banque et cent mille écus d'argent. Je me trouve dans une situation affreuse : je me suis cru riche, et me voilà à l'Hôpital. Au moins, si j'avais seulement une petite terre où je pusse me retirer, je serais sûr d'avoir de quoi vivre ; mais je n'ai pas grand comme ce chapeau de fonds de terre [6]. »

Je tournai par hasard la tête d'un autre côté, et je vis un autre homme qui faisait des grimaces de possédé [7]. « A

---

1. Voir la *Lettre* **36**. — 2. Souffrir d'ennui. — 3. Payables au *porteur*. — 4. Allusions aux effets du système de Law en 1719 : la hausse des actions du Mississipi fit perdre toute valeur aux terres. — 5. *L'Hôpital* général pour les indigents, fondé par Louis XIV en 1656. — 6. A la fin de 1719, la confiance du public fut ébranlée ; la vente des actions entraîna une fièvre d'achats immobiliers. — 7. Possédé *du démon* ; fou extravagant.

qui se fier désormais? s'écriait-il. Il y a un traître que je
croyais si fort de mes amis que je lui avais prêté mon argent;
30 et il me l'a rendu. Quelle perfidie horrible! Il a beau faire :
dans mon esprit, il sera toujours déshonoré[1]. »

Tout près de là était un homme très mal vêtu, qui,
élevant les yeux au Ciel, disait : « Dieu bénisse les projets
de nos ministres! Puissé-je voir les actions à deux mille,
35 et tous les laquais de Paris plus riches que leurs maîtres! »
J'eus la curiosité de demander son nom. « C'est un homme
extrêmement pauvre, me dit-on; aussi a-t-il un pauvre
métier : il est généalogiste, et il espère que son art rendra
si les fortunes continuent, et que tous ces nouveaux riches
40 auront besoin de lui pour reformer leur nom, décrasser leurs
ancêtres et orner leurs carrosses. Il s'imagine qu'il va
faire autant de gens de qualité qu'il voudra, et il tressaillit
de joie de voir multiplier ses pratiques[2]. »

Enfin je vis entrer un vieillard pâle et sec, que je reconnus
45 pour nouvelliste[3] avant qu'il se fût assis. Il n'était pas du
nombre de ceux qui ont une assurance victorieuse contre
tous les revers et présagent toujours les victoires et les
trophées; c'était, au contraire, un de ces trembleurs qui
n'ont que des nouvelles tristes. « Les affaires vont bien
50 mal du côté d'Espagne, dit-il : nous n'avons point de cavalerie sur la frontière, et il est à craindre que le prince Pio[4],
qui en a un gros corps[5], ne fasse contribuer[6] tout le Languedoc. »

Il y avait vis-à-vis de moi un philosophe assez mal en
55 ordre[7], qui prenait le nouvelliste en pitié et haussait les
épaules à mesure que l'autre haussait la voix. Je m'approchai de lui, et il me dit à l'oreille : « Vous voyez que ce fat[8]
nous entretient, il y a[9] une heure, de sa frayeur pour le
Languedoc, et moi, j'aperçus hier au soir une tache dans le
60 Soleil, qui, si elle augmentait, pourrait faire tomber toute
la nature en engourdissement, et je n'ai pas dit un seul
mot. »

De Paris, le 17 de la lune de Rhamazan[10], *1719.*

---

1. « Ce débiteur a reçu des espèces d'or ou d'argent, et il s'acquitte de sa dette en billet
dont la valeur est en train de s'effondrer. Il commet donc une véritable escroquerie
(Antoine Adam, *op. cit.*, p. 338). — 2. Clients. — 3. Voir la *Lettre* 130. — 4. Prince de
Savoie qui, en 1719, commanda les Espagnols sur les Pyrénées et menaça le Languedoc
— 5. De cavalerie (cf. l. 50). — 6. « Payer à l'ennemi une somme d'argent pour se
garantir des exactions militaires » (Littré). — 7. Peu soigné dans sa mise. — 8. Sot
prétentieux. — 9. Depuis. — 10. Novembre.

Rica se rend à la Bibliothèque de l'Abbaye de Saint-Victor [1], *une des plus anciennes de Paris, ouverte quelques heures par jour au public depuis 1707. Mais il constate que les préoccupations intellectuelles y sont reléguées au dernier rang : le prieur qui le reçoit apparaît ignorant et saisit la première occasion pour s'éclipser* (Lettre **133**) *:* « Mais j'entends l'heure du réfectoire qui sonne. Ceux qui, comme moi, sont à la tête d'une communauté, doivent être les premiers à tous les exercices. *En disant cela, le moine me poussa dehors, ferma la porte, et comme s'il eût volé, disparut à mes yeux.* »

Dans les lettres suivantes Rica raconte qu'un religieux, plus affable et surtout plus cultivé, lui présente successivement les différentes catégories d'ouvrages que renferme la bibliothèque. Il s'agit d'un classement adopté par Montesquieu, peut-être à l'image de celui qu'il utilisait pour ses livres de La Brède, car les livres des grandes bibliothèques étaient encore rangés par format.

On montre d'abord à Rica (Lettre **134**) *les interprètes* [2] *de l'Écriture, auteurs qui* « n'ont point cherché dans l'Écriture ce qu'il faut croire, mais ce qu'ils croient eux-mêmes ; ils ne l'ont point regardée comme un livre où étaient contenus les dogmes qu'ils devaient recevoir, mais comme un ouvrage qui pourrait donner de l'autorité à leurs propres idées. » *Puis les livres ascétiques* [3] *; les traités de théologie* « doublement inintelligibles, et par la matière qui y est traitée, et par la manière de la traiter » *; les ouvrages des mystiques* [4], « c'est-à-dire des dévôts qui ont le cœur tendre » *:* « Ah ! mon Père, lui dis-je, un moment. N'allez pas si vite. Parlez-moi de ces mystiques. — Monsieur, me dit-il, la dévotion échauffe un cœur disposé à la tendresse et lui fait envoyer des esprits au cerveau, qui l'échauffent de même : d'où naissent les extases et les ravissements. Cet état est le délire de la dévotion. » *Enfin les casuistes,* « qui mettent au jour les secrets de la nuit ».

---

1. Remplacée en 1811 par la Halle aux Vins. Les livres ont été recueillis par la Bibliothèque Nationale. — 2. Commentateurs. — 3. Réglant les exercices de la vie spirituelle. — 4. Ceux qui assurent trouver une communication directe, intuitive et vécue, avec le divin, aboutissant à un état d'extase.

Rica et son savant interlocuteur examinent ensuite (Lettre 135) les grammairiens, les glossateurs [1] et les commentateurs, gens qui peuvent « se dispenser d'avoir du bon sens ; » les orateurs, « qui ont le talent de persuader indépendamment des raisons » ; les géomètres ; les métaphysiciens, « qui traitent de si grands intérêts » ; les physiciens, les livres d'anatomie, qui ne guérissent « ni le malade de son mal, ni le médecin de son ignorance » ; la chimie [2] « qui habite tantôt l'Hôpital et tantôt les Petites-Maisons [3] » ; les livres de sciences occultes, « ou plutôt d'ignorance occulte » ; les livres d'astrologie.

Le lendemain, Rica aborde les livres des historiens. L'ironie disparaît vite, et de brefs développements analysent les caractères essentiels de l'histoire de chaque nation et les leçons qu'on y peut trouver.

LETTRE 136

RICA AU MÊME

Dans l'entrevue suivante, mon savant me mena dans un cabinet particulier. « Voici les livres d'histoire moderne, me dit-il. Voyez premièrement les historiens de l'Église et des Papes, livres que je lis pour m'édifier, et qui font en moi
5   souvent un effet tout contraire.

» Là, ce sont ceux qui ont écrit de la décadence du formidable [4] Empire romain, qui s'était formé du débris de tant de monarchies, et sur la chute duquel il s'en forma aussi tant de nouvelles. Un nombre infini de peuples barbares,
10   aussi inconnus que les pays qu'ils habitaient, parurent tout à coup, l'inondèrent, le ravagèrent, le dépecèrent, et fondèrent tous les royaumes que vous voyez à présent en

---

1. Auteurs de notes explicatives. — 2. *La chimie*, jusqu'à la fin du XVIIe siècle, était surtout une alchimie soucieuse de transformer les métaux en or ou de créer des métaux doués de prodigieuses propriétés, comme celui de Paracelse. — 3. Hôpital réservé aux aliénés. — 4. Inspirant la crainte.

Europe. Ces peuples n'étaient point proprement barbares, puisqu'ils étaient libres [1]; mais ils le sont devenus depuis que, soumis pour la plupart à une puissance absolue, ils ont perdu cette douce liberté si conforme à la raison, à l'humanité et à la nature. [...]

» Voici les historiens de France, où [2] l'on voit d'abord la puissance des Rois se former, mourir deux fois [3], renaître de même, languir ensuite pendant plusieurs siècles; mais, prenant insensiblement des forces, accrue de toutes parts, monter à son dernier période [4] : semblable à ces fleuves qui, dans leur course, perdent leurs eaux ou se cachent sous terre, puis, reparaissant de nouveau, grossis par les rivières qui s'y jettent, entraînent avec rapidité tout ce qui s'oppose à leur passage. [...]

» Ce sont ici les historiens d'Angleterre, où l'on voit la liberté sortir sans cesse des feux de la discorde et de la sédition; le Prince toujours chancelant sur un trône inébranlable; une nation impatiente [5], sage dans sa fureur même, et qui, maîtresse de la Mer [6] (chose inouïe jusqu'alors), mêle le commerce avec l'empire.

» Tout près de là sont les historiens de cette autre reine de la Mer, la République de Hollande, si respectée en Europe et si formidable [7] en Asie, où ses négociants voient tant de rois prosternés devant eux.

. . . .

De Paris, le 2 de la lune de Chalval [8], 1719.

● **Lettre 136**

① Montrer que le deuxième paragraphe annonce les *Considérations sur les causes de la grandeur des Romains et de leur décadence.*

② Remarquer la réunion, dans la clausule du même alinéa, de trois mots sur lesquels se retrouvent presque tous les « philosophes » du XVIIIᵉ siècle.

③ Souligner l'insistance avec laquelle Montesquieu, avant les *Lettres philosophiques* de Voltaire, lie la liberté et le commerce.

---

1. Idée chère à Montesquieu : l'histoire de France est l'histoire des empiètements successifs de la Royauté. — 2. Dans lesquels. — 3. Avec les Mérovingiens et les Carolingiens. — 4. Son degré le plus élevé. — 5. Incapable de se contenir. — 6. A la fin du XVIᵉ siècle. — 7. Louis XIV avait été obligé de rendre aux Hollandais tous leurs droits commerciaux. De 1716 a 1718, la France, l'Angleterre puis l'Autriche recherchent l'alliance des Hollandais. — 8. Décembre.

Rica termine son enquête par les poèmes et les romans.

LETTRE 137

RICA AU MÊME

Le lendemain, il [1] me mena dans un autre cabinet. « Ce sont ici les poètes, me dit-il, c'est-à-dire ces auteurs dont le métier est de mettre des entraves au bon sens et d'accabler la raison sous les agréments, comme on ense-
5 velissait autrefois les femmes sous leurs ornements et leurs parures. Vous les connaissez; ils ne sont pas rares chez les Orientaux, où le Soleil, plus ardent, semble échauffer les imaginations mêmes [2].

» Voilà les poèmes épiques. — Eh! qu'est-ce que les
10 poèmes épiques? — En vérité, me dit-il, je n'en sais rien; les connaisseurs disent qu'on n'en a jamais fait que deux [3], et que les autres qu'on donne sous ce nom ne le sont point; c'est aussi ce que je ne sais pas. Ils disent de plus qu'il est impossible d'en faire de nouveaux, et cela est encore plus
15 surprenant [4].

» Voici les poètes dramatiques, qui, selon moi, sont les poètes par excellence et les maîtres des passions. Il y en a de deux sortes : les comiques, qui nous remuent si douce-
ment [5], et les tragiques, qui nous troublent et nous agitent
20 avec tant de violence.

» Voici les lyriques, que je méprise autant que j'estime les autres, et qui font de leur art une harmonieuse extravagance.

» On voit ensuite les auteurs des idylles et des églogues,
25 qui plaisent même aux gens de Cour par l'idée qu'ils leur donnent d'une certaine tranquillité qu'ils n'ont pas, et qu'ils leur montrent dans la condition des bergers.

» De tous les auteurs que nous avons vus, voici les plus dangereux : ce sont ceux qui aiguisent les épigrammes,

---

1. Le bibliothécaire (voir p. 155). — 2. Apparition d'une théorie exposant l'influence du climat sur la littérature. — 3. L'*Iliade* et l'*Odysée*. — 4. Allusion à la querelle d'Homère : voir la *Lettre* **36**. — 5. Sans éveiller de sentiments violents.

qui sont de petites flèches déliées qui font une plaie pro- 30
fonde et inaccessible aux remèdes ¹.

» Vous voyez ici les romans, dont les auteurs sont
des espèces de poètes qui outrent également le langage
de l'esprit et celui du cœur : ils passent leur vie à chercher
la nature et la manquent toujours, et leurs héros y sont 35
aussi étrangers ² que les dragons ailés et les hippocen-
taures ³. »

● **Montesquieu et la poésie**

Selon Montesquieu, la poésie n'est qu'extravagance, mensonge
et ornements ridicules accumulés au mépris du bon sens.
*Montesquieu se montre ici partisan résolu des modernes dont les chefs,
Fontenelle et Houdart de la Motte, appliquent délibérément le cartésianisme à la critique littéraire* (P. Vernière, *op. cit.*, p. 290).
La condamnation des poèmes épiques ne vise pas *la Henriade* de
Voltaire. Elle n'est pas publiée à cette date, mais elle ne modifiera
pas le jugement de Montesquieu : « Plus le poème de *la Ligue*
paraît être *l'Énéide*, moins il l'est » (*Mes Pensées*, 922).

① Expliquer les réflexions de Montesquieu sur l'épopée en les
replaçant dans le cadre de la querelle d'Homère. Les rapprocher
du mot prêté à Monsieur de Malézieu (« Les Français n'ont pas la
tête épique »), en montrant que son rationalisme, son esprit critique, son sens de la mesure, son goût du style spirituel empêchaient
Montesquieu d'apprécier ce genre littéraire.

② Montesquieu déteste les poètes lyriques — au point que Voltaire
l'a accusé de « lèse-poésie ». La littérature de son temps et celle
du milieu du XVIIIe siècle ne justifient-elles pas cette sévérité?

③ Les auteurs d'idylles donnent à leurs lecteurs l'idée *d'une
certaine tranquillité qu'ils n'ont pas* (l. 26). N'est-ce pas précisément
ce qui fera le succès de *la Nouvelle Héloïse* et de *Paul et Virginie*?

④ Pourquoi la poésie dramatique trouve-t-elle plus de crédit?

● **Montesquieu et le roman**

Au roman, qu'il compare à la poésie par ses excès, Montesquieu
reproche son incapacité à saisir la nature. Il l'assimile aux contes
orientaux et ne semble penser qu'aux insipides œuvres galantes
écrites par les imitateurs de La Calprenède et de Mademoiselle
de Scudéry.

⑤ Quelles œuvres romanesques, par la rigueur de l'analyse psychologique ou l'exacte peinture des milieux sociaux, peuvent servir
à montrer l'injustice de Montesquieu?

---

1. Qui ne permet pas l'utilisation de remèdes. — 2. Anormaux. — 3. Animaux
fabuleux, moitié hommes, moitié chevaux.

« J'ai vu, lui dis-je, quelques-uns de vos romans, et,
si vous voyiez les nôtres, vous en seriez encore plus cho-
40 qué. Ils sont aussi peu naturels et, d'ailleurs, extrêmement
gênés par nos mœurs : il faut dix années de passion avant
qu'un amant ait pu voir seulement le visage de sa maîtresse.
Cependant les auteurs sont forcés de faire passer les lecteurs
dans ces ennuyeux préliminaires. Or il est impossible
45 que les incidents soient variés. On recourt à un artifice
pire que le mal même qu'on veut guérir [1] : c'est aux
prodiges. Je suis sûr que vous ne trouverez pas bon qu'une
magicienne fasse sortir une armée de dessous terre, qu'un
héros, lui seul, en détruise une de cent mille hommes.
50 Cependant voilà nos romans. Ces aventures froides et souvent répétées nous font languir, et ces prodiges extrava-
gants nous révoltent. »

De Paris, le 6 de la lune de Chalval [2], *1719.*

LETTRE 138

RICA A IBBEN
A SMYRNE

Les ministres se succèdent et se détruisent ici comme
les saisons : depuis trois ans, j'ai vu changer quatre fois
de système sur les finances [3]. On lève aujourd'hui les
tributs [4], en Turquie et en Perse, comme les levaient les
5 fondateurs de ces empires; il s'en faut bien qu'il en soit
ici de même. Il est vrai que nous n'y mettons pas tant
d'esprit que les Occidentaux : nous croyons qu'il n'y a pas
plus de différence entre l'administration des revenus du
Prince et celle des biens d'un particulier, qu'il y en a entre
10 compter cent mille tomans [5] ou en compter cent. Mais il y a
ici plus de finesse et de mystère. Il faut bien que de grands
génies travaillent nuit et jour, qu'ils enfantent sans cesse et
avec douleur de nouveaux projets, qu'ils écoutent les avis

---

1. L'ennui. — 2. Décembre. — 3. De 1717 à 1720, le maréchal de Noailles, le marqu[is]
d'Argenson et Law se succédèrent à la direction des finances. Monsieur de La Houssay[e]
remplaça Law en novembre 1720, donc après la date prêtée par Montesquieu à la lettre [de]
Rica. — 4. Impôts. — 5 Monnaie d'or perse.

d'une infinité de gens qui travaillent pour eux sans en être
priés [1], qu'ils se retirent et vivent dans le fond d'un cabinet   15
impénétrable aux grands et sacré aux petits, qu'ils aient
toujours la tête remplie de secrets importants, de desseins
miraculeux, de systèmes nouveaux, et qu'absorbés dans les
méditations ils soient privés de l'usage de la parole et quelquefois même de celui de la politesse.   20

   Dès que le feu Roi [2] eut fermé les yeux, on pensa à établir une nouvelle administration. On sentait qu'on était
mal, mais on ne savait comment faire pour être mieux.
On ne s'était pas bien trouvé de l'autorité sans bornes des
ministres précédents [3]; on la voulut partager. On créa pour   25
cet effet six ou sept conseils [4], et ce ministère est peut-être
celui de tous qui a gouverné la France avec plus [5] de sens.
La durée en fut courte [6], aussi bien que celle du bien qu'il
produisit.

   La France, à la mort du feu Roi, était un corps accablé   30
de mille maux. N... [7] prit le fer à la main, retrancha les
chairs inutiles, et appliqua quelques remèdes topiques [8].
Mais il restait toujours un vice intérieur à guérir. Un étranger est venu [9], qui a entrepris cette cure. Après bien des
remèdes violents, il a cru lui [10] avoir rendu son embonpoint,   35
et il l'a seulement rendue bouffie [11].

   Tous ceux qui étaient riches il y a six mois sont à présent
dans la pauvreté, et ceux qui n'avaient pas de pain
regorgent de richesses. Jamais ces deux extrémités [12] ne se
sont touchées de si près. L'Étranger a tourné [13] l'État   40
comme un fripier tourne un habit : il fait paraître dessus
ce qui était dessous; et, ce qui était dessus, il le met à
l'envers. Quelles fortunes inespérées, incroyables même
à ceux qui les ont faites! Dieu ne tire pas plus rapidement
les hommes du néant. Que de valets servis par leurs cama-   45
rades et peut-être demain par leurs maîtres!

   Tout ceci produit souvent des choses bizarres. Les
laquais qui avaient fait fortune sous le règne passé vantent
aujourd'hui leur naissance; ils rendent à ceux qui viennent

1. Il s'agit des « donneurs d'avis » qui suggéraient par des mémoires la création de
arges nouvelles, dans l'espoir de commissions. — 2. Louis XIV. — 3. Montesquieu
nse surtout à Colbert et à Louvois. — 4. Système de la Polysynodie. — 5. Le *plus*. —
Jusqu'en septembre 1718. — 7. Noailles. — 8. Réservés à l'usage externe. — 9. Law. —
. A la France. — 11. Allusion à l'inflation. — 12. Richesse et pauvreté. — 13. Retourné.

50 de quitter leur livrée dans une certaine rue [1], tout le mépris
    qu'on avait pour eux il y a six mois; ils crient de toute
    leur force : « La noblesse est ruinée! Quel désordre dans
    l'État! Quelle confusion dans les rangs! On ne voit que
    des inconnus faire fortune! » Je te promets [2] que ceux-ci
55 prendront bien leur revanche sur ceux qui viendront
    après eux, et que, dans trente ans, ces gens de qualité
    feront bien du bruit.

            De Paris, le premier de la lune de Zilcadé [3], 1720.

    Rica fait l'éloge de deux reines de Suède : Ulrique-
    Éléonore qui renonce au trône en faveur de son époux, et
    Christine qui « abdiqua la couronne pour se donner toute
    entière à la philosophie » (Lettre 139).

                    LETTRE 140

                    RICA A USBEK
                       *A ****

    Le parlement de Paris vient d'être relégué [4] dans une
    petite ville qu'on appelle *Pontoise*. Le Conseil lui a envoyé
    enregistrer ou approuver une déclaration qui le déshonore,
    et il l'a enregistrée [5] d'une manière qui déshonore le Conseil.
5   On menace d'un pareil traitement quelques parlements
    du Royaume.
        Ces compagnies sont toujours odieuses [6] : elles n'appro-
    chent des rois que pour leur dire de tristes vérités, et, pen-
    dant qu'une foule de courtisans leur représentent [7] sans
10 cesse un peuple heureux sous leur gouvernement, elles
    viennent démentir la flatterie, et apporter aux pieds du
    trône les gémissements et les larmes dont elles sont déposi-
    taires.
        C'est un pesant fardeau, mon cher Usbek, que celui

---

1. La rue Quincampoix où l'on négociait les actions de la Compagnie des Ind[
fondée par Law. — 2. T'assure. — 3. Janvier. — 4. Mi-juillet 1720, par arrêt [
Conseil royal, pour avoir refusé d'enregistrer un édit royal. — 5. En précisant qu[
agissait sous la contrainte. — 6. Détestées. — 7. Font voir dans leurs discours.

La rue Quincampoix

« Tous ceux qui étaient riches il y a six mois sont à présent dans la pauvreté et ceux qui n'avaient pas de pain regorgent de richesses ».

(Lettre 38)

15 de la vérité, lorsqu'il faut la porter jusques aux princes.
Ils doivent bien penser que ceux qui s'y déterminent
y sont contraints, et qu'ils ne se résoudraient jamais à
faire des démarches si tristes et si affligeantes pour ceux
qui les font, s'ils n'y étaient forcés par leur devoir, leur
20 respect, et même leur amour.

De Paris, le 21 de la lune de Gemmadi [1] *1, 1720.*

*Rica adresse à Usbek un conte persan : l'histoire d'Ibra-
him, un jaloux qui tue sans raison sa femme Anaïs. Celle-ci,
comblée de plaisirs dans le paradis des musulmans, envoie
un sosie qui chasse Ibrahim de son sérail et dissipe sa fortune (Lettre 141). Puis Rica fait parvenir à son ami une
lettre qu'il a reçue d'un savant érudit. Elle comprend un
« fragment d'un ancien mythologiste » qui retrace l'histoire
de Law en pastichant le Télémaque de Fénelon (Lettre 142).*

LETTRE 143

RICA A NATHANAËL LÉVI, MÉDECIN JUIF A LIVOURNE

Tu me demandes ce que je pense de la vertu des amulettes et de la puissance des talismans. Pourquoi t'adresses-
tu à moi ? Tu es juif, et je suis mahométan ; c'est-à-dire que
nous sommes tous deux bien crédules.

5 Je porte toujours sur moi plus de deux mille passages
du saint Alcoran [2] ; j'attache à mes bras un petit paquet où
sont écrits les noms de plus de deux cents dervis ; ceux
d'Ali [3], de Fatmé [4] et de tous les Purs sont cachés en plus de
vingt endroits de mes habits [5].

10 Cependant je ne désapprouve point ceux qui rejettent
cette vertu que l'on attribue à de certaines paroles : il
nous est bien plus difficile de répondre à leurs raisonnements qu'à eux de répondre à nos expériences.

---

1. Juillet. — 2. Beaucoup de Persans portaient sur eux des amulettes composées
passages du *Coran* (voir p. 26, note 6) et de prières de leurs saints. — 3. Gendre de Mahom[e]
— 4. Fille de Mahomet. — 5. Ces amulettes, enfermées dans de petits sacs en soie, étaie[nt]
cousues aux habits.

Je porte tous ces chiffons sacrés par une longue habitude, pour me conformer à une pratique universelle; je crois que, s'ils n'ont pas plus de vertu que les bagues et les autres ornements dont on se pare, ils n'en ont pas moins. Mais, toi, tu mets toute ta confiance sur quelques lettres mystérieuses [1], et, sans cette sauvegarde, tu serais dans un effroi continuel.

Les hommes sont bien malheureux! Ils flottent sans cesse entre de fausses espérances et des craintes ridicules, et, au lieu de s'appuyer sur la raison, ils se font des monstres qui les intimident, ou des fantômes qui les séduisent.

Quel effet veux-tu que produise l'arrangement de certaines lettres? Quel effet veux-tu que leur dérangement puisse troubler? Quelle relation ont-elles avec les vents, pour apaiser les tempêtes; avec la poudre à canon, pour en vaincre l'effort; avec ce que les médecins appellent l'*humeur peccante* [2] et la *cause morbifique* [3] des maladies, pour les guérir?

Ce qu'il y a d'extraordinaire, c'est que ceux qui fatiguent leur raison pour lui faire rapporter [4] de certains événements à des vertus occultes n'ont pas un moindre effort à faire pour s'empêcher d'en voir la véritable cause.

Tu me diras que de certains prestiges [5] ont fait gagner une bataille; et, moi, je te dirai qu'il faut que tu t'aveugles pour ne pas trouver dans la situation du terrain, dans le nombre ou dans le courage des soldats, dans l'expérience des capitaines, des causes suffisantes pour produire cet effet dont tu veux ignorer la cause.

Rica fait ensuite allusion aux paniques qui ont souvent décidé d'une bataille.

Quoique les livres sacrés [6] de toutes les nations soient remplis de ces terreurs paniques ou surnaturelles, je n'imagine rien de si frivole, parce que, pour s'assurer qu'un effet qui peut être produit par cent mille causes naturelles est surnaturel, il faut avoir auparavant examiné si aucune de ces causes n'a agi; ce qui est impossible.

---

1. « Allusion au symbolisme des lettres hébraïques dans la Cabale » (P. Vernière, *op. cit.*, p. 310). — 2. « Épithète donnée [...] aux humeurs quand elles pèchent par rapport à la qualité » (Littré). — 3. Qui *cause* la maladie. — 4. Découler *certains* événements *de certus...* — 5. Miracles. — 6. Allusion à la *Bible*.

*Rica joint à sa lettre une « Lettre d'un Médecin de Province
à un Médecin de Paris », qu'il a entendu « crier dans la rue ».*

« Il y avait dans notre ville un malade qui ne dormait point
depuis trente-cinq jours. Son médecin lui ordonna l'opium ;
50 mais il ne pouvait se résoudre à le prendre, et il avait la
coupe en main qu'il était plus indéterminé que jamais.
Enfin il dit à son médecin : « Monsieur, je vous demande
seulement quartier jusqu'à demain : je connais un homme
qui n'exerce pas la médecine, mais qui a chez lui un nombre
55 innombrable de remèdes contre l'insomnie. Souffrez que
je l'envoie querir [1], et, si je ne dors pas cette nuit, je vous
promets que je reviendrai à vous. » Le médecin congédié,
le malade fit fermer les rideaux, et dit à un petit laquais :
« Tiens, va-t'en chez M. Anis [2] et dis-lui qu'il vienne me
60 parler. » M. Anis arrive. « Mon cher monsieur Anis, je me
meurs : je ne puis dormir. N'auriez-vous point dans votre
boutique *la C. du G.* [3] ou bien quelque livre de dévotion,
composé par un R. P. J. [4], que vous n'ayez pu vendre ?
Car souvent les remèdes les plus gardés sont les meilleurs.
65 — Monsieur, dit le libraire, j'ai chez moi *la Cour sainte*,
du Père Caussin [5], en six volumes, à votre service ; je vais
vous l'envoyer ; je souhaite que vous vous en trouviez bien.
Si vous voulez les œuvres du Révérend Père Rodriguez,
Jésuite espagnol [6], ne vous en faites pas faute. Mais,
70 croyez-moi, tenons-nous-en au Père Caussin ; j'espère,
avec l'aide de Dieu, qu'une période du Père Caussin vous
fera autant d'effet qu'un feuillet tout entier de *la C. du G.* »
Là-dessus, M. Anis sortit et courut chercher le remède à sa
boutique. *La Cour sainte* arrive ; on en secoue la poudre [7] ;
75 le fils du malade, jeune écolier, commence à lire. Il en sentit
le premier l'effet : à la seconde page, il ne prononçait plus
que d'une voix mal articulée, et déjà toute la compagnie
se sentait affaiblie. Un instant après, tout ronfla, excepté
le malade, qui, après avoir été longtemps éprouvé, s'assou-
80 pit à la fin.
Le médecin arrive de grand matin : « Eh bien ! a-t-on pris
mon opium ? » On ne lui répond rien : la femme, la fille,

---

1. Chercher. — 2. Libraire spécialisé dans les ouvrages de piété. — 3. *La* Connaissance
du Globe. — 4. *Révérend Père Jésuite*. — 5. Jésuite du xviiᵉ siècle. — 6. Du xviᵉ siècle,
auteur d'ouvrages ascétiques. — 7. La poussière.

le petit garçon, tous transportés de joie, lui montrent le
Père Caussin [1]. Il demande ce que c'est. On lui dit : « Vive
le Père Caussin! Il faut l'envoyer relier. Qui l'eût dit? Qui [85]
l'eût cru? C'est un miracle! Tenez, Monsieur, voyez donc
le Père Caussin; c'est ce volume-là qui a fait dormir mon
père. » Et là-dessus, on lui expliqua la chose comme elle
s'était passée. »

*La lettre s'achève par une succession d'ordonnances
médicales facétieuses, à la manière de Molière : « Lisez
tous les ouvrages du révérend père Maimbourg [2], ci-devant
Jésuite, prenant garde de ne vous arrêter qu'à la fin de chaque période, et vous sentirez la faculté de respirer vous revenir
peu à peu, sans qu'il soit besoin de réitérer [3] le remède. »*

Lettre **144** : *Dernière lettre de Rica (22 octobre 1720).
Il esquisse le portrait de deux savants prétentieux et montre
que leur défaut se retourne contre eux. Il lance un appel à
tous ceux qui sont hommes de modestie.*

Hommes modestes, venez que je vous embrasse : vous
faites la douceur et le charme de la vie. Vous croyez que
vous n'avez rien, et, moi, je vous dis que vous avez tout.
Vous pensez que vous n'humiliez personne, et vous humiliez tout le monde. Et, quand je vous compare dans mon
idée avec ces hommes absolus que je vois partout, je les
précipite de leur tribunal, et je les mets à vos pieds.

Lettre **145** : *Usbek rappelle que les savants, autrefois
accusés de magie, sont encore en butte à des persécutions :*

A présent que ces sortes d'accusation sont tombées
dans le décri, on a pris un autre tour, et un savant ne saurait guère éviter le reproche d'irréligion ou d'hérésie.

● **La Lettre 143** montre la méthode de Montesquieu : il insère dans
celle de Rica une autre lettre, suivie d'un recueil d'ordonnances.

① Montrer que Rica critique directement toutes les croyances
qui ne sont pas justifiées par la raison.

② Le conte humoristique du Médecin de Province (p. 166)
n'aborde-t-il pas le même sujet de manière allusive?

③ Comparez avec Voltaire : *Relation de la maladie, de la confes-
sion, de la mort et de l'apparition du jésuite Berthier (1759).*

---

1. L'ouvrage du *Père Caussin*. — 2. Historien copieux et ampoulé du XVIIᵉ siècle. —
Recommencer a prendre. Voir *Lettre 50.*

LETTRE 146

USBEK A RHÉDI
A VENISE

. . . .

J'ai vu la foi des contrats bannie [1], les plus saintes conventions anéanties, toutes les lois des familles renversées. J'ai vu des débiteurs avares, fiers d'une insolente pauvreté, instruments indignes de la fureur des lois et de la rigueur
5   des temps, feindre un paiement au lieu de le faire, et porter le couteau dans le sein de leurs bienfaiteurs.

J'en ai vu d'autres, plus indignes encore, acheter presque pour rien ou plutôt ramasser de terre des feuilles de chêne pour les mettre à la place de la substance des veuves et des
10 orphelins.

J'ai vu naître soudain, dans tous les cœurs, une soif insatiable des richesses. J'ai vu se former en un moment une détestable conjuration de s'enrichir, non par un honnête travail et une généreuse industrie, mais par la ruine
15 du Prince, de l'État et des concitoyens.

J'ai vu un honnête citoyen, dans ces temps malheureux, ne se coucher qu'en disant : « J'ai ruiné une famille aujourd'hui; j'en ruinerai une autre demain. »

. . . .

De Paris, le 11 de la lune de Rhamazan [2], 1720.

Une série de lettres apprend à Usbek que la trahison et l'anarchie règnent dans son sérail (Lettres **147-152**). Il charge de la répression un nouveau Grand-Eunuque, Solim (Lettre **153**).

● **Lettre 146**

① Montrer que ce fragment justifie pleinement le jugement de P. Vernière (*op. cit.*, p. 323) : « Cette lettre, conclusion occidentale des *Lettres persanes*, écrite au moment même où Law, ruiné, fuyait aux Pays-Bas, dément vigoureusement l'interprétation trop souvent frivole de l'ouvrage de Montesquieu.

---

1. Usbek s'indigne contre la décomposition sociale consécutive au système de Law
— 2. Novembre.

LETTRE 154

USBEK A SES FEMMES
AU SÉRAIL D'ISPAHAN

Puisse cette lettre être comme la foudre qui tombe au milieu des éclairs et des tempêtes! Solim est votre premier eunuque, non pas pour vous garder, mais pour vous punir. Que tout le sérail s'abaisse devant lui! Il doit juger vos actions passées, et, pour l'avenir, il vous fera vivre sous un joug si rigoureux que vous regretterez votre liberté, si vous ne regrettez pas votre vertu.

De Paris, le 4 de la lune de Chahban[1]*, 1719.*

LETTRE 155

USBEK A NESSIR
A ISPAHAN

Heureux celui qui, connaissant tout le prix d'une vie douce et tranquille, repose son cœur au milieu de sa famille et ne connaît d'autre terre que celle qui lui a donné le jour!

Je vis dans un climat[2] barbare, présent à tout ce qui m'importune, absent de tout ce qui m'intéresse. Une [5] tristesse sombre me saisit; je tombe dans un accablement affreux : il me semble que je m'anéantis, et je ne me retrouve moi-même que lorsqu'une sombre jalousie vient s'allumer et enfanter dans mon âme la crainte, les soupçons, la haine et les regrets[3] [...].   [10]

● **Lettre 155**

① Montrer le changement qui s'est opéré dans l'esprit de Usbek. Apprécier la justesse de ce jugement de R. Laufer *(La réussite romanesque et la signification des « Lettres persanes »)* : « Au lieu qu'au commencement les sentiments personnels s'étaient estompés avec la distance pour faire place à la curiosité, la sérénité et l'oubli malgré la persistance de quelques nuages, le drame s'abat brutalement sur Usbek et l'univers serein du philosophe sombre dans la tourmente passionnelle. »

1. Octobre. — 2. Pays. — 3. Lettre du 4 octobre 1719.

Simultanément Roxane, Zachi et Zélis écrivent à Usbek pour se plaindre de la cruauté manifestée par Solim (Lettres **156-157**).

LETTRE 158

ZÉLIS A USBEK
A PARIS

A mille lieues de moi, vous me jugez coupable; à mille lieues de moi, vous me punissez.

Qu'un eunuque barbare porte sur moi ses viles mains, il agit par votre ordre. C'est le tyran qui m'outrage, et
5 non pas celui qui exerce la tyrannie.

Vous pouvez, à votre fantaisie, redoubler vos mauvais traitements. Mon cœur est tranquille depuis qu'il ne peut plus vous aimer.

Votre âme se dégrade, et vous devenez cruel. Soyez sûr
10 que vous n'êtes point heureux.

Adieu.

Du sérail d'Ispahan, le 2 de la lune de Maharram [1], *1720.*

Solim découvre enfin l'infidélité de Roxane, l'épouse préférée d'Usbek (Lettres **159-160**).

LETTRE 161

ROXANE A USBEK
A PARIS

Oui, je t'ai trompé; j'ai séduit tes eunuques, je me suis jouée de ta jalousie, et j'ai su, de ton affreux sérail, faire un lieu de délices et de plaisirs.

Je vais mourir : le poison va couler dans mes veines.
5 Car que ferais-je ici, puisque le seul homme qui me retenait à la vie n'est plus? Je meurs; mais mon ombre s'envole bien

---

1. Mars.

accompagnée; je viens d'envoyer devant moi ces gardiens sacrilèges qui ont répandu le plus beau sang du Monde [1].

Comment as-tu pensé que je fusse assez crédule pour m'imaginer que je ne fusse dans le Monde que pour adorer tes caprices? que, pendant que tu te permets tout, tu eusses le droit d'affliger tous mes désirs? Non! J'ai pu vivre dans la servitude, mais j'ai toujours été libre : j'ai réformé tes lois sur celles de la Nature, et mon esprit s'est toujours tenu dans l'indépendance.

Tu devrais me rendre grâces encore du sacrifice que je t'ai fait : de ce que je me suis abaissée jusqu'à te paraître fidèle; de ce que j'ai lâchement gardé dans mon cœur ce que j'aurais dû faire paraître à toute la Terre; enfin, de ce que j'ai profané la vertu, en souffrant qu'on appelât de ce nom ma soumission à tes fantaisies.

Tu étais étonné [2] de ne point trouver en moi les transports de l'amour. Si tu m'avais bien connue, tu y aurais trouvé toute la violence de la haine.

Mais tu as eu longtemps l'avantage [3] de croire qu'un cœur comme le mien t'était soumis. Nous étions tous deux heureux : tu me croyais trompée, et je te trompais.

Ce langage, sans doute, te paraît nouveau. Serait-il possible qu'après t'avoir accablé de douleur, je te forçasse encore d'admirer mon courage? Mais c'en est fait : le poison me consume; ma force m'abandonne [4]; la plume me tombe des mains; je sens affaiblir jusqu'à ma haine; je me meurs.

Du sérail d'Ispahan, le 8 de la lune de Rebiab [5] 1, 1720.

- **Une héroïne tragique** (*Lettre* **161**)
  ① Comment le style souligne-t-il la fierté et la majesté tragique de Roxane? Dans quelle mesure peut-on comparer cette dernière à Hermione, à Roxane, son homonyme (dans *Bajazet*), ou à Phèdre?

- **« J'ai réformé tes lois sur celles de la Nature »** (l. 13-14)
  ② Montrer qu'à la tyrannie d'Usbek, Roxane oppose la vertu concrète de l'esclave qui conquiert sa liberté et sa dignité dans la mort.
  ③ N'y a-t-il pas, dans cette formule de Roxane, un vœu qui sera celui de l'opinion au XVIIIe siècle : le triomphe de la Nature, c'est-à-dire de la Raison?

---

1. Celui de son amant, surpris dans le sérail. — 2. Très surpris. — 3. Le bonheur. — Hémistiche de Racine, dans *Phèdre* (v. 154.). — 5. Mai.

DOSSIER PÉDAGOGIQUE

Le choix du roman par lettres Dans ses *Réflexions sur les « Lettres persanes »*, Montesquieu déclare que la plus grande originalité de son ouvrage réside dans l'invention d'un nouveau genre littéraire : « Rien n'a plu davantage, dans les *Lettres persanes*, que d'y trouver, sans y penser, une espèce de roman. » « Mes ouvrages apprirent à faire des romans en lettres », ajoute-t-il dans *Mes Pensées* (II, 474), avec plus de fierté que d'exactitude, oubliant les *Lettres de la Religieuse portugaise* (1669) et celles de la Présidente Ferrand.

Cette forme romanesque n'était pas nouvelle en 1721, ÉTIEMBLE le souligne : les mœurs de l'époque, la vie de société favorisaient le genre épistolaire, et l'art épistolaire se justifiait dans un roman par la nécessité de mettre en relation des personnages en voyage avec des sédentaires ; certains personnages de Montesquieu vivent en Perse, pendant que d'autres séjournent plus ou moins longuement à Smyrne, à Venise, à Moscou, à Livourne, à Paris ; des nouvelles arrivent de Suède, d'Espagne, de Tartarie. Dès lors, « la lettre apparaît comme la meilleure, sinon la seule solution, comme le plus sûr moyen de reconstituer cette unité de lieu que perpétuellement défait le voyage lui-même » (Encyclopédie de la Pléiade, *Histoire des Littératures*, III, p. 701).

Une intention plus profonde guide le choix d'un tel genre. Comme le dit encore ÉTIEMBLE, « les écrivains sceptiques ou mal pensants ont toujours employé, qui, l'essai, qui, la lettre, qui, le dialogue. Or le roman par lettres combine agréablement les avantages de la lettre à ceux du dialogue et à ceux de l'essai ». L'auteur a pleine liberté pour passer sans transition d'un sujet à l'autre, pour communiquer ses impressions au jour le jour, selon le hasard des circonstances ou les découvertes de la curiosité. Cette forme supprime les difficultés d'une composition régulière. La variété des situations y gagne, et l'intérêt se renouvelle sans cesse.

— Vérifiez, à l'aide d'exemples précis pris dans les extraits, que, si Montesquieu a écrit un « roman en lettres », c'est à la fois pour créer un lien entre les personnages et pour renouveler l'intérêt du lecteur en variant les sujets, les circonstances et les points de vue.

— Recherchez les raisons pour lesquelles Voltaire dans les *Lettres anglaises*, Laclos dans *les Liaisons dangereuses*, et Rousseau dans *la Nouvelle Héloïse* ont utilisé le genre épistolaire.

Le drame du sérail   Près de quarante Lettres sont consacrées au roman de harem. De chaque événement — un incident, une promenade, une querelle, l'achat d'une nouvelle épouse —, Montesquieu présente plusieurs versions : celles des femmes, du chef des eunuques ou de quelque serviteur. Usbek tranche avec équité les conflits qu'on lui soumet à distance. Avec la prolongation de l'absence, puis la mort du Grand Eunuque, les épouses s'enhardissent et les événements se précipitent. La brutalité de Solim, le nouveau chef du harem, exaspère les femmes, et un coup de théâtre se produit : on soupçonnait Zachi et Zélis, c'est la vertueuse Roxane qui était coupable; elle prévient toute sanction en s'empoisonnant. Le roman se termine donc en catastrophe.

Paul VALÉRY insiste sur la valeur littéraire de ce conte oriental (*Variété* II, p. 72) : « C'est un conte, c'est une comédie. C'est même un drame où le sang coule; mais il coule fort loin, et même les fureurs et les exécutions secrètes sont ici autant littéraires qu'il est souhaitable. »

— Montrez que la présence des eunuques, sur laquelle s'interrogeait VALÉRY (*Variété* II), sert indirectement à la satire des mœurs et permet la peinture de petits tableaux galants dans le goût du XVIIIe siècle.

La vie du harem permet une réflexion sociologique sur la situation de la femme. L'auteur confronte à plusieurs reprises la condition des femmes en Orient et en Occident. LABASTE et NICOLLE insistent sur cet aspect des *Lettres persanes* (*Montesquieu*, p. 71) : « Roxane et ses compagnes ne sont pas seulement des disciples anticipées de J.-J. Rousseau, révoltées contre la tyrannie des sociétés humaines et revendiquant avec âpreté la liberté qu'elles tiennent de la nature, mais elles sont aussi, à deux siècles de distance, les lointaines aïeules des modernes *Désenchantées*... »

— Expliquez ce jugement en comparant la condition et la situation de Roxane avec celles des *Désenchantées* de Pierre Loti (1906).

Dans la pénombre du sérail, Usbek a laissé des gardes autour de son harem et de ses femmes. Jean STAROBINSKI analyse, dans sa *Préface* aux *Lettres persanes* (édition Folio), le sens de ce despotisme oriental : « Montesquieu a voulu qu'Usbek fût un ennemi des masques, un voyageur épris de savoir rationnel et, tout ensemble, un représentant fidèle des mœurs domestiques de la Perse [...] le possesseur sourcilleux de cinq femmes et de sept eunuques, c'est-à-dire le tyran qui ne remet jamais en question le bien-fondé de sa domination. »

— Expliquez la contradiction entre les goûts intellectuels de Usbek et son comportement à l'égard de son harem. Quelle en est la signification?

Le drame final apparaît dès lors pour Jean STAROBINSKI comme la punition d'un aveuglement et d'une méconnaissance : « Contre la domination traditionnelle et la coutume (donc particulière) qu'Usbek a voulu faire régner *in absentia*, la révolte de Roxane, qui éclate dans la dernière lettre du recueil, en appelle à son tour, et à meilleur droit, aux valeurs universelles. Ce sont les mots délices, plaisirs, désirs que Roxane, mourante et triomphante, associe à l'autorité de la « nature ». Dans l'imminence de la mort s'ouvre la perspective d'une raison universellement libératrice, dont Usbek n'a su formuler et vivre qu'une partie des exigences. Le courage de Roxane, *in extremis*, attestant la légitimité de ce que nous nommons aujourd'hui (un peu lourdement) la pulsion délirante, l'inclut dans l'ordre des droits inaliénables » (Préface à l'édition Folio des *Lettres persanes*).

— Expliquez comment la dernière lettre fait contrepoids à l'ensemble du roman, sous la forme d'une revanche de l'amour absent et d'une victoire sur les illusions.

Ces vues conduisent à une interprétation globale de l'ouvrage où Roger LAUFER discerne une mise en question caractéristique de l'architecture rococo : la philosophie ne quitte-t-elle pas Usbek dès qu'il s'agit de la liberté des femmes? N'est-ce pas la preuve que les sens constituent un obstacle au règne de la raison? Et la tragédie finale donne à l'œuvre toute sa signification : le drame d'Usbek est celui de son temps, menaçant « la bonne conscience du philosophe des lumières qui élude les problèmes d'action révolutionnaire grâce au mythe de la raison intemporelle et universelle ».

— Étudiez comment la vie de Montesquieu, déchiré entre sa condition sociale et son libéralisme philosophique, peut justifier cette interprétation des *Lettres persanes*.

La couleur orientale   Pierre BARRIÈRE, dans une étude datant de 1951 (« Éléments personnels et éléments bordelais dans les *Lettres persanes* », *Revue d'histoire littéraire de la France*), avait relevé tous les éléments autobiographiques passés selon lui dans le roman : le mariage, le problème du droit d'aînesse, la religion, l'argent, les expé-

riences du provincial, la réussite du Parisien. Pour Pierre Barrière, Bordeaux se lit Ispahan, et Usbek s'éloigne pour neuf
ans de la Perse comme Montesquieu a rompu avec la Guyenne.
Cette interprétation s'appuie trop souvent sur des conjectures
et se heurte à l'intérêt minutieux manifesté par Montesquieu
pour les réalités orientales. Paul Vernière a mis en relief
(« Montesquieu et le monde musulman », *Actes du Congrès
Montesquieu*, 1956) la très solide documentation de l'auteur
sur l'Orient, son souci de la vraisemblance, son information
sur la religion des Perses, musulmans chiites, et des Turcs,
musulmans sunnites, bref la conscience scientifique qui se
manifeste dans le détail du texte de Montesquieu.

— Montesquieu ne cherchait-il pas à dépayser son lecteur
pour lui faire accepter la liberté avec laquelle s'expriment
les Persans du roman?

Une galerie de caractères La psychologie des personnages
est très nuancée, et leur surprise
devant les coutumes européennes parfaitement plausible. De
ce point de vue, on ne peut admettre le jugement de Nisard
(*Histoire de la littérature française*, IV, p. 76) d'après lequel
« Rica et Usbek, ce sont des Parisiens de 1720 qui ont pris
un costume persan chez le voyageur Chardin ». D'ailleurs,
chaque personnage a bien son caractère qui lui est propre.

Usbek — Ce personnage essentiel représente, à certains
égards, le sage idéal selon Montesquieu. Bon citoyen, bon
patriote, il ne s'est pas laissé corrompre par la Cour et a voulu
adopter, devant son prince, le langage de la sincérité. Mélan-
colie au départ, nostalgie à Paris montrent la force de son
attachement à la Perse, qu'il oppose au passage à la Turquie,
l'ennemie héréditaire peuplée d'infidèles.

— Montrez que chez Usbek le patriotisme est lié à la
foi religieuse, mais que ce bon musulman apparaît raisonneur,
curieux et large d'esprit, proche finalement du déisme et
du cartésianisme.

« Rien qu'au son des deux voyelles du nom de Usbek —
voyelles qui n'appartiennent pas au nom de Rica —, remarque
Jean Starobinski, nous savons, par le jeu du contraste,
qu'Usbek est l'homme sombre et méditatif. Quant à la lettre k
par où s'achève son nom elle augure mal de la fin de son
histoire : elle se laisse lire comme l'emblème de la cruauté
primitive où le portera la fureur d'être trompé. »

Rica — Usbek est le premier à constater que « la jeunesse
et la gaieté naturelle (de Rica) le mettent au-dessus de toutes
les épreuves » et que « la vivacité de son esprit fait qu'il

« Je ne me croyais pas un homme si curieux et si rare ».

(Lettre 30)

saisit tout avec promptitude ». C'est pourquoi Rica, sans rien respecter, s'attaque hardiment aux institutions les plus respectées : il plaisante malicieusement sur le Paradis, et l'audace de la Lettre 24, qui contient le portrait du roi de France et du pape, est restée célèbre.

— Mettez en relief le caractère mondain de Rica, son intérêt pour la vie parisienne, son attention aux femmes et aux modes. Montrez que cette apparente légèreté n'interdit pas chez lui une sensibilité profonde.

Rhédi — Rhédi est le plus philosophe des correspondants d'Usbek. C'est lui qui interroge ce dernier sur l'utilité de la science, sur la dépopulation du globe, sur l'histoire et l'origine des républiques. Grand lecteur, il réfléchit passionnément à ce que disent les historiens.

Les caractères féminins — Plusieurs femmes interviennent dont les caractères se différencient après le départ d'Usbek. Si la sensuelle Fatmé et l'insignifiante Zéphis paraissent bien s'adapter à leur vie de recluses, Zélis, plus fière, proteste contre le pouvoir tyrannique des eunuques, et en arrive à mépriser Usbek (Lettre 158). Zachi, plus sentimentale, ne perd pas son amour pour Usbek. Nul doute qu'elle ne remplacera Roxane comme favorite. Car la préférée d'Usbek trompait son maître ; à la mort de son amant elle s'empoisonne, recouvrant ainsi sa dignité et sa liberté et maudissant son philosophe de mari.

— Comparez le caractère de Roxane avec celui de Roxane, son homonyme dans *Bajazet* (tragédie de Racine).

Une allègre satire des mœurs — Les *Lettres persanes* offrent une satire pittoresque de la France au début du XVIIIe siècle, d'autant plus nuancée qu'elle vient de deux personnages, l'un grave et piquant, l'autre d'humeur vive et joyeuse. Volontiers persuadés de leur supériorité nationale, les deux Persans se partagent la besogne.

— Montesquieu se contente-t-il de peindre les Français légers, curieux, agités, instables et toujours en quête de plaisirs?

Nisard écrivait il y a près d'un siècle dans son *Histoire de la littérature française :* « La Bruyère écrit plus en peintre, Montesquieu plus en penseur. Non que le premier ne sache penser, ni le second peindre ; mais la Bruyère nous donne plus volontiers la représentation et Montesquieu les raisons de nos ridicules ».

— Comparez les portraits brossés par Montesquieu (Lettre 48, Lettre 72) à ceux que traçait la Bruyère dans les *Caractères*.

Impitoyables, les Persans disent leur mot sur tout ce qu'on voit à Paris, sur les seigneurs, les magistrats, les théologiens, les habitués des salons littéraires, les nouvellistes, les gens de lettres, les alchimistes ou les coquettes.

— A la manière d'une *lettre persane*, faites le portrait d'un homme d'affaires, d'un journaliste, d'un champion sportif, d'un chanteur « disco » ou d'un acteur de cinéma.

Une œuvre révolutionnaire Paul VALÉRY souligne, dans *Variété II* (Préface aux *Lettres persanes*), la hardiesse et le contenu explosif des *Lettres persanes* : « Entrer chez les gens pour déconcerter leurs idées, leur faire la surprise d'être surpris de ce qu'ils font, de ce qu'ils pensent, et qu'ils n'ont jamais conçu différent, c'est, au moyen de l'ingénuité feinte ou réelle, donner à ressentir toute la relativité d'une civilisation, d'une confiance habituelle dans l'Ordre établi [...]. C'est aussi prophétiser le retour à quelque désordre; et même faire un peu plus que de le prédire. »

Cette interprétation rejoint le témoignage des contemporains de Montesquieu. VOLTAIRE constate l'ampleur du succès, et il admire le contenu audacieux des *Lettres persanes* (Lettre à M. de Cideville du 26 juillet 1733) : « Y a-t-il un livre où l'on ait traité le gouvernement et la religion avec moins de ménagement? » Cette hardiesse choque d'ARGENSON et suscite, trente ans après la première édition des *Lettres persanes*, un furieux pamphlet de l'abbé GAULTIER, les « *Lettres persanes* » *convaincues d'impiété*, où la violence n'exclut nullement la perspicacité. D'ALEMBERT enfin résume l'opinion du siècle quand, dans son *Éloge de Montesquieu*, il constate que l'auteur des *Lettres* approfondit toutes sortes de matières dangereuses « en paraissant glisser sur elles ».

Derrière les portraits des individus, la description des lieux à la mode, l'analyse des comportements, Usbek discerne, comme le montrent Réal QUELLET et Hélène VACHON, une gangrène qui mine le corps social : « Dénoncer le désordre social, celui surtout qui peut affecter la position hiérarchique des groupes, c'est déjà se poser au cœur du politique [...]. Au lieu de remonter aux sources jusqu'à un hypothétique 'état de nature', Montesquieu préfère river le regard de ses Persans sur la pratique du pouvoir exercé par Louis XIV et le Régent ».

— Cherchez à l'aide d'exemples précis et nombreux, en quoi les Persans font allusion aux excès et aux abus du pouvoir absolu, aux ridicules de la monarchie, au despotisme de Louis XIV et à la personne même du roi.

Cette satire universelle, naturelle et plaisante, s'attaque éga-

Bibliothèque Nationale, Paris. Ph. © Bibl. Nat., Photeb

« Qu'un eunuque barbare porte sur moi ses viles mains, il agit par votre ordre.
C'est le tyran qui m'outrage, et non pas celui qui exerce la tyrannie ».

(Lettre 158)

lement à la religion. Tout en reprenant les moqueries tradi-
tionnelles contre les ordres religieux et les casuistes qui
enseignent à cette occasion comment on peut violer les ordres
de Dieu, Montesquieu met hardiment en question le Pape et
les princes de l'Église.

« L'Église est un monument d'artifice : un pape magicien,
des sacrements étranges, l'unité de Dieu contestée, des casuistes
fous, des directeurs aux jupes des femmes, un mariage indis-
soluble, le célibat imposé aux prêtres, une théologie obscure
qui déclenche des luttes civiles, un prosélytisme qui, sous
couleur de charité, cache la volonté de puissance », telle
apparaît à Paul VERNIÈRE, dans l'introduction de son édition
des *Lettres persanes*, l'anti-nature dénoncée par Montesquieu.
Et n'oublions pas l'Inquisition qui suscite la révolte de Rica.

Cette hardiesse dans la critique de la société, de l'absolutisme et de la religion explique et justifie, d'après ÉTIEMBLE,
le recours au filtre de la fiction et de l'exotisme : « Dans
un pays où le catholicisme restait religion d'État, et la monarchie assez autoritaire pour contraindre à la clandestinité la
plupart des livres pensés, Montesquieu dut se protéger derrière
un système de pont-levis et de bastilles : lui qui se voulait
'le témoin de la vérité', refusait d'en être 'le martyr' ».

L'interprétation actuelle des *Lettres persanes* insiste moins
volontiers sur le travail de démolition et tend plus rarement
à faire de ce roman un ouvrage séditieux. Antoine ADAM
souligne (dans l'introduction de son édition critique) « le
fond grave d'une pensée nullement sceptique et tout au
contraire occupée de maintenir les valeurs spirituelles »,
celles de Malebranche et de Shaftesbury, et non celles de
Hobbes et de Spinoza.

P. VERNIÈRE discerne plutôt une recherche implicite de
l'ordre, « un ordre idéal fondé sur la justice, antérieure à
toute révélation, et sur la nature, c'est-à-dire sur les exigences
fondamentales du cœur et de la raison ». Signalant la coïn-
cidence de la justice et de la nature dans l'apologue des
Troglodytes, il y voit l'idéal de Montesquieu en 1720. Dès
lors, la satire apparaît comme la critique de l'anti-nature,
c'est-à-dire, en Orient, du harem, des interdits et des rites
étranges, et, en Occident, d'une Église qui trouble l'État,
comme l'avoue un prêtre dans la Lettre 61, du despotisme
de Louis XIV, des mirages de Law, de l'esclavage et de la
colonisation. A ces artifices, Montesquieu oppose la politique
naturelle; il souhaite que les rois gouvernent les nations
comme un père gouverne sa famille, prône la douceur du
gouvernement, qui conduit à la prospérité matérielle et
morale, au développement des arts et à l'accroissement de
la population.

— Essayez, à l'aide d'exemples précis, de justifier l'interprétation selon laquelle c'est un idéal de sagesse, exempt de toute volonté révolutionnaire, qui s'incarne dans les *Lettres persanes*.

Les tenants de cette interprétation l'appuient sur des arguments historiques. En 1720, la Régence a déjà installé le désordre dans l'État. Pour Paul VERNIÈRE, Montesquieu trompe son lecteur par l'insolence du ton : « S'il daube sur la Trinité et l'Eucharistie, Maraña et Bayle, sans parler de Spinoza, l'ont fait avant lui. S'il rit du pape-magicien, comment pouvait-on prendre au sérieux l'homme qui allait donner la pourpre à l'abbé Dubois ? S'il critique le despotisme oriental de Louis XIV, qui ne pense de même dans les Conseils ? On ne saurait exiger de Montesquieu le respect des idoles quand le Régent lui-même les détruit. »

Allant bien plus loin, Louis ALTHUSSER analyse les *Lettres persanes* dans la mouvance marxiste. Loin d'être révolutionnaire, le roman traduit, selon lui, la nostalgie d'un ordre naturel ancien, le désir de la restauration de l'ordre féodal : « En dénonçant le 'despotisme', Montesquieu ne défend pas contre la politique de l'absolutisme tant la liberté en général, que les libertés particulières de la classe féodale, sa sûreté personnelle, les conditions de sa pérennité et sa prétention de reprendre, dans les nouveaux organes du pouvoir, la place dont l'histoire l'a frustrée. »

— Recherchez, dans les Lettres 46, 95, 102, 106, les formules susceptibles de justifier l'interprétation de Louis ALTHUSSER. Cette interprétation vous paraît-elle discutable ?

La découverte d'un style Jean STAROBINSKI montre que la fiction du voyageur persan détermine le ton des *Lettres persanes* : « Un style s'invente à travers cette mise en scène : il réduit la matière habituelle de l'essai à la substance d'une lettre ou d'une série de lettres ; il autorise donc à faire bref, à élaguer, à couper court, à rendre inutiles préambules et développements [...]. Ainsi la vivacité d'une pensée *neuve* trouve-t-elle sa compensation dans les formules sinueuses d'un langage *hérité*, dont le lecteur français sait fort bien, dès l'introduction, qu'il trouve ici une imitation adaptée à son goût. Par la fiction persane, Montesquieu se trouve entraîné à écrire autrement, à mieux écrire : et ce bonheur d'écrire s'exalte tour à tour dans la rapidité avec laquelle s'imposent les axiomes de la raison, et dans la parodie ornementale du style figuré de l'Orient » (Préface à l'édition Folio des *Lettres persanes*).

On comprend l'enthousiasme de STENDHAL qui, dans son *Racine et Shakespeare*, caractérisait le style des *Lettres per-*

VOYAGES

DE MONSIEUR

LE CHEVALIER CHARDIN,

« Je résolus de m'exiler de ma patrie ».
(Lettre 8)

Major taberna Caffè Alexandri ♪   35.ᵉ VUE D'OPTIQUE   Le Grand Caffè d'Alexandre ♪

Le grand café d'Alexandre

« Le café est très en usage à Paris : il y a un grand nombre de maisons publiques où on le distribue ».

(Lettre 36)

sanes par une succession de superlatifs flatteurs : « le plus saillant, celui qui réveille le plus, le plus cynique, le plus rapide, celui qui imprime le plus fortement la pensée dans l'esprit du lecteur, le plus concis, le plus grandiose ».
— L'originalité qu'apprécie STENDHAL repose d'abord sur un vocabulaire dont on peut constater la netteté et la propriété. Mettez en relief ces qualités aussi bien dans la langue des lettres orientales (couleur locale, hyperboles, périphrases, clichés qualificatifs) que dans la langue des lettres occidentales, précise et imagée.

Dans ses *Réflexions sur les « Lettres persanes »*, Montesquieu invite le lecteur à « faire attention que tout l'agrément consistait dans le contraste éternel entre les choses réelles et la manière singulière, neuve ou bizarre, dont elles étaient aperçues ». Recherchant constamment l'effet et le relief, Montesquieu affectionne un humour qui repose souvent sur le procédé de l'antithèse.

— Illustrez, à l'aide d'exemples précis que vous commenterez, les procédés auxquels recourt Montesquieu pour faire ressortir les idées qui lui tiennent à cœur : changement de ton (Lettre 66), pointe finale (Lettre 101), utilisation du parallélisme (Lettre 34), rapprochement inattendu (Lettre 33).

Le genre épistolaire et le sujet donnant à Montesquieu l'occasion de montrer son esprit malicieux ; jeux de mots, sousentendus, métaphores filées, hyperboles colorent un persiflage méthodique de la société mondaine, de l'Académie Française, des nouvellistes ou des jolies femmes et de leurs soucis.

— Recherchez divers exemples de pastiche et de caricature. Montrez comment ces procédés permettent à Montesquieu de se concilier la complicité du lecteur.

Pierre NARDIN, analysant « la recette stylistique des *Lettres persanes* », souligne le rôle essentiel de l'ironie « soit sous la forme du trait, de la pointe qui jaillit ou saille ici et là, de la chute où le paragraphe pirouette, soit sous le vêtement d'une phrase d'une plus savante complexité, dans l'embarras feint de laquelle le lecteur aiguisera lui-même son esprit ».

— Analysez, à l'aide d'exemples précis, les diverses formes que revêtent l'ironie et l'humour de Montesquieu dans les *Lettres persanes*.

— Comparez l'ironie de Montesquieu à celle de Voltaire dans ses *Contes*.

Tous ces éléments pimentent un style étonnamment divers, abondant en phrases brèves, aisées, alertes et piquantes où quelquefois, surtout dans les lettres orientales, apparaît une sorte d'arrangement mélodique ou un mouvement strophique. Montesquieu considérait la langue comme un chant, fait pour émouvoir et charmer. C'est pourquoi, remarque Antoine

ADAM, « les *Lettres persanes*, si elles sont pures, n'ont point cette sécheresse que donne l'abus de l'esprit d'analyse. La phrase traduit, de façon sensible, par son mouvement, ses rythmes, ses sonorités, la colère ou la tristesse ; elle a, quand il le faut, les langueurs du désir, les chutes abruptes du désespoir, ou les sursauts de l'indignation ».

Le « miracle » des *Lettres persanes*, livre léger et profond, élégant et pudique, apparaît à Jacques ROGER dans l'originalité et le talent de Montesquieu : « Six ans après la mort de Louis XIV, c'était vraiment le XVIIIe siècle qui prenait la parole. Par un bonheur exemplaire il la recevait d'un irrespectueux président à mortier qui donnait le ton, savait dire légèrement des vérités graves, haïssait le pédantisme autant que l'inutilité, prenait au sérieux les choses sérieuses sans se prendre lui-même au tragique, et enseignait à toute une génération d'écrivains que la seule faute impardonnable aux philosophes qui pensent juste, c'est d'être ennuyeux » (Introduction à l'édition Garnier-Flammarion des *Lettres persanes*, 1964).

— Appréciez l'originalité des *Lettres persanes* à la lumière de ce jugement.

Veuë du Palais des Thuilleries du costé du Jardin, acheué soubs le Regne de Louis 14.

A Paris chez N. Langlois rue St Jacques a la victoire avec privil. du Roy   Scené et grave par Perele.

« Si j'étais aux Tuileries, je voyais aussitôt un cercle se former autour de moi ».

(Lettre 30)

BIBLIOGRAPHIE

1. Sur Montesquieu

Robert Shackleton, *Montesquieu : a critical biography*, Londres, Oxford University Press, 1961. C'est l'ouvrage le plus complet et le plus exact sur la vie de Montesquieu. On peut retenir également des présentations plus anciennes, mais très solides :

Pierre Barrière, *Un grand provincial : Charles-L. de Secondat, baron de la Brède et de Montesquieu*, Delmas, 1946.

Joseph Dedieu, *Montesquieu, l'homme et l'œuvre* (revu par Jean Ehrard), Hatier-Boivin, 1966.

On peut conseiller les études plus rapides de :

Jean Starobinski, *Montesquieu par lui-même*, Le Seuil, 1953.

Georges Benrekassa, *Montesquieu*, P.U.F., 1968.

Robert J. Loy, *Montesquieu*, New York, Twayne Publishers, 1968.

Depuis une vingtaine d'années plusieurs études ont éclairé divers aspects de l'œuvre de Montesquieu :

Louis Althusser, *Montesquieu, la politique et l'histoire*, P.U.F., 2e édition, 1964.

Badreddine Kassem, *Décadence et absolutisme dans l'œuvre de Montesquieu*, Genève, Droz, 1960.

Jean Ehrard, *Politique de Montesquieu*, Colin, 1965.

Jean Ehrard, *Montesquieu critique d'art*, P.U.F., 1966.

Corrado Rosso, *Montesquieu moraliste*, Ducros, 1971.

2. Sur les « Lettres persanes »

Des éditions critiques, précédées d'introductions très diverses, ont été présentées par :

Antoine Adam, Genève, Droz, 1954.
Paul Vernière, Garnier, 1960.
Jean Starobinski, Gallimard, 1973.

Des études récentes portent sur l'interprétation des *Lettres persanes* :

Roger Mercier, « le Roman dans les *Lettres persanes* : structure et signification », *Revue des sciences humaines*, juillet-septembre 1962, pp. 345-356.

Roger Laufer, « La Réussite romanesque et la signification des *Lettres persanes* de Montesquieu », *Revue d'histoire littéraire*, avril-juin 1961.

Roger Laufer, *Style rococo, style des Lumières*, 1963, pp. 51-72.

Pierre Nardin, « la Recette stylistique des *Lettres persanes* », *le Français moderne*, octobre 1952, janvier 1953, avril 1953.

Étiemble, « Sur les *Lettres persanes* », *les Lettres nouvelles III*, 1955, pp. 370-381.

J.G. Mérigot, « Montesquieu démographe », *Mélanges J. Brethe de la Gressaye*, Bordeaux, 1967, pp. 510-536.

Aram Vartanian, « Eroticism and Politics in the *Lettres persanes* », *Romantic Review*, 1969, pp. 23-33.

Robert Kempf, « les *Lettres persanes* ou le corps absent », *Sur le corps romanesque*, 1968, pp. 9-22.

Jean Ehrard, « la Signification politique des *Lettres persanes*, Études sur Montesquieu », *Archives des Lettres modernes*, 1970, pp. 33-50.

Pauline Kra, *Religion in Montesquieu's « Lettres persanes »*, Genève, 1970.

Georges Benrekassa, « Montesquieu et le roman comme genre littéraire », *Roman et Lumières au XVIIIe siècle*, 1970, pp. 27-37.

Réal Ouellet et Hélène Vachon, « *Lettres persanes* » *de Montesquieu*, 1976.

Roger Caillois : Préface aux *Œuvres complètes de Montesquieu*, Bibliothèque de la Pléiade (ou encore texte de la Préface et quelques autres, dans *Rencontres*, 1978).

TABLE DES COMMENTAIRES

TABLE DES ILLUSTRATIONS

TABLE DES MATIÈRES

IMPRIMÉ EN FRANCE PAR
BERGER-LEVRAULT, NANCY.

778025-3-80.   Dépôt légal : 2ᵉ trimestre 1980